L'Esprit
au **féminin**

des mêmes **auteurs**

Macha Méril

au cherche midi

J'aime pas, 1997.

chez d'autres éditeurs

La Star, Grasset et Fasquelle, 1982.
Haricots-ci, haricots-là, Robert Laffont, 1999.
Joyeuses pâtes : 150 recettes, Robert Laffont, 1999.
Moi, j'en riz, Robert Laffont, 1999.
Love Baba, Albin Michel, 2000.
Patati, patata, trois petits tours et puis ça va – chroniques, Albin Michel, 2001.
Biographie d'un sexe ordinaire, Albin Michel, 2003.
Si je vous disais, Albin Michel, 2004.
Les Mots des hommes, Albin Michel, 2004.
Ce soir, c'est ta fête, Albin Michel, 2006.
Sur les pas de Colette, Presses de la Renaissance, 2007.
Un jour, je suis morte, Albin Michel, 2008.
Ricochets, Actes Sud, 2009.
C'est prêt dans un quart d'heure, Robert Laffont, 2011.
Jury, Albin Michel, 2011.

Christian Moncelet

au cherche midi

Les Répliques les plus drôles, 1986.

chez d'autres éditeurs

René Guy Cadou : Les Liens de ce monde, Champ Vallon, Seyssel, 1983.

Suite page 6

Macha Méril
Christian Moncelet

L'Esprit au féminin

cherche midi

Suite de la page 4

Alexandre Vialatte au miroir de l'imaginaire (édit.), Presses de l'université Blaise Pascal, Clermont-Ferrand, 2001.

My Fer Lady, Mots et Cie, Paris, 2002.

Les livres en losange se vendent mal, surtout les jaunes, « Manifeste du *lyvrisme* », éditions Bof, 2002.

Les Mots du comique et de l'humour, Belin, Paris, 2006.

Les Mots jolis nouveaux sont à rêver, éditions Bof, 2007.

Mieux vaut, Vaut mieux... illustré par Claude-Henri Fournerie, éditions Bof, 2007.

Redécouvrir Cami, l'humoriste « loufock » avec Jacques Rouvière, éditions Marrimpouey, Pau, 2008.

Boucs émissaires, têtes de Turcs et souffre-douleur, avec F. Chauvaud, J.-C. Gardes et S. Vernois, Presses universitaires de Rennes, 2012.

Conception graphique : Corinne Liger-Marie
Coordination éditoriale : Julie Da Silva

© **le cherche midi**, 2012
23, rue du Cherche-Midi
75006 Paris
Vous pouvez consulter notre catalogue général
et l'annonce de nos prochaines parutions sur notre site :
www.cherche-midi.com

À des femmes qui ont ri, rient et riront

De la part de Macha,
Hélène
Élisabeth
Nino
Lisiko
Juliane
Isabelle
Claude
Sylvie
Françoise
Yvette
Bernadette

De la part de Christian,
Margot
Belou
Pougny
Tounette
Annie
Gisou
Monique
Maryse
Myriam
Flora
Mathilde
Marina
Léa
Anna
Babeth
Mariette
Claire

La drôlerie
des femmes

On disait : les femmes ne sont pas drôles. Elles sont trop proches de la douleur humaine pour avoir de l'humour. L'humour est le propre de l'homme, l'humour nécessite du recul, de la hauteur, les femmes ont le nez dans le réel, elles n'ont pas la faculté de retourner les faits pour les observer sous un autre angle, ce qui donne naissance au rire.

Or, en fouillant dans la littérature féminine, et ce dès le XVIIe siècle, on s'aperçoit que c'est faux. On pense : les femmes qui écrivent, celles dont on connaît le nom, sont des exceptions, des audacieuses, voire des intrigantes. Mais bien vite on doit se raviser : elles sont plus nombreuses qu'on ne le croit, leur parole est un défi à la possibilité de s'exprimer que leur concédait leur époque. Un courage fou ! Certes les courtisanes et les comédiennes avaient plus facilement le verbe haut et se servaient précisément de l'humour pour dénoncer leur condition, face aux hommes, face au pouvoir. Elles le payaient cher par leur situation de femmes entretenues, il valait mieux qu'elles soient belles et jeunes le plus longtemps possible. Quelques-unes étaient simplement talentueuses, comme la marquise de Sévigné, mais elle est un peu à part. Son titre et sa fréquentation de la Cour l'ont protégée. Elle sait rire de ses contemporains, et mieux encore de ses contemporaines, qu'elle juge assez durement. C'est un humour qui donne encore raison aux hommes, quand ils énoncent les travers des femmes.

Après la Révolution les choses basculent, et les femmes commencent à faire entendre leur voix. Elles osent s'aventurer sur le terrain de l'ironie, tout en combattant pour leurs droits. De grandes héroïnes apparaissent qui ne sont pas dans l'ombre d'un prince ou d'un roi. Charlotte Corday assassine seule. Le féminisme est en marche. L'humour féminin s'affranchit de la rivalité entre femmes, il attaque les mœurs et le ridicule des hommes autant que celui des femmes.

Puis vient le XIXe siècle, avec l'introspection, la démesure et le romantisme. L'humour féminin recule légèrement, corseté par une société qui a replongé dans le bigotisme partout en Europe. Les passions féminines sont décrites par les hommes. Stendhal, Flaubert, Tolstoï et Balzac ne plaisantent pas. Les femmes sont tragiques. Un clin d'œil de femme, par-ci par-là, de George Sand ou de Mme de Staël. Mais la rigolade n'est pas de mise. Louise Michel, qui deviendra une icône féministe, écrase le siècle de son sérieux de *pasionaria*. Les féministes sont de féroces matrones qui font peur.

Mais le XXe voit l'apothéose du rire féminin. Avec la Première Guerre mondiale, les femmes jettent leurs guêpières et se coupent les cheveux. Elles vont travailler en usine, elles font des métiers durs, elles tiennent les fermes en l'absence des hommes. Elles se syndiquent, elles s'allient dans un esprit de chambrée, elles savent chanter et rire du monde, de leurs hommes et de leur propre crédulité : la gouaille et l'humour des femmes contemporaines sont nés.

Depuis, une avalanche de comiques, de truculentes, de culottées et de show-girls a déferlé sur le monde des lettres et du spectacle. Elles manient le langage et la philosophie du rire avec autant de force que les hommes, en se moquant d'elles-mêmes et en dévoilant petits et grands secrets de femmes, montrant une audace inouïe. Les premières à avoir fait rire, autrefois, avaient un physique ingrat, Pauline Carton ou Jacqueline Maillan n'étaient pas des séductrices. À présent les humoristes sont de plus en plus belles, de Marilyn Monroe à Valérie Lemercier, elles se servent de leurs charmes et de leur féminité pour mieux affirmer encore leur indépendance et leur volonté.

Au cours des siècles, l'humour féminin s'est développé, et je remercie Christian Moncelet, par ses recherches, de m'en avoir fait découvrir toute l'étendue. La langue des femmes s'est progressivement déliée, leur humour a pris une place centrale dans notre paysage, on ne peut plus les considérer comme avant, silencieuses, dociles ou effarouchées.

Les femmes font rire, elles aiment rire, et l'on dit aujourd'hui que pour gagner le cœur d'une femme, il faut la faire rire !

Macha Méril

Les femmes
ont leur bon mot à dire

D ans les dictionnaires de citations, dans les livres sur l'humour, on ne fait pas la part assez belle – sauf rares exceptions – aux réflexions des femmes, à leurs pensées finement pesées ou à leurs répliques à chaud. Ce livre est né de la ferme volonté de réparer cette injustice en célébrant uniquement et copieusement la vivacité de l'esprit féminin.

Qu'entendre par « esprit » ? Le marquis de Bièvre, surnommé « le père des calembours », dissertait, un jour, avec la cantatrice Sophie Arnould, sur les différentes significations de ce mot. Il soutenait qu'il avait toujours besoin d'une précision :

> *Par exemple, l'esprit devin des prophètes n'est point l'esprit de sel des railleurs ; l'esprit immonde des libertins n'est ni l'esprit fort des crocheteurs, ni l'esprit familier des valets, et le bel esprit d'une savante est bien loin du bon esprit d'une ménagère : « esprit » est donc un terme vague auquel chacun attache un différent sens.*

Sophie Arnould opina et en profita pour être... spirituelle : « Je suis de votre avis, car je connais des gens d'esprit qui n'ont pas le sens commun. »

Voltaire illustra, d'un autre point de vue, la richesse du mot :

Ce qu'on appelle « esprit » est tantôt une comparaison nouvelle, tantôt une allusion fine ; ici l'abus d'un mot qu'on présente dans un sens et qu'on laisse entendre dans un autre, là un rapport délicat entre deux idées peu communes : c'est une métaphore singulière ; c'est une recherche de ce qu'un objet ne présente pas d'abord, mais de ce qui s'y trouve en effet ; c'est l'art ou de réunir deux choses éloignées, ou de diviser deux choses qui paraissent se joindre, ou de les opposer l'une à l'autre ; c'est celui de ne dire qu'à moitié sa pensée pour la laisser deviner.

Ces constats n'ont rien perdu de leur pertinence et légitiment la grande diversité tonale et stylistique des citations recueillies. C'est bien cet esprit polychrome, tendre ou cru, frontal ou enrobé, travaillé ou improvisé qu'ont pratiqué les femmes ici présentes, en un long cortège séculaire. Francophones ou anglophones, célèbres ou non, d'antan ou de notre temps, elles ont peaufiné leur expression par écrit ou lancé, au débotté, de drôles de reparties.

L'art du « savoir-rire »

Bien des femmes nous ont donné des leçons de « savoir-rire », selon une expression d'Arletty. Un « savoir-rire » éclatant ou discret, généreux ou incisif, le plus souvent éclairant.

Les réflexions féminines rassemblées ici couvrent presque tout le spectre de l'esprit de jadis (l'humour d'avant l'humour, dit-on parfois) et du sourire moderne : de l'ironie glaciale à la politesse exquise, de l'interrogation cavalière à la bonne claque clownesque, de l'*arrossage* en règle à la virevolte verbale, de la repartie qui cloue le bec à la fantaisie émolliente sur nos plaies vives... À chacun de préférer, ici, la subtilité gracieuse d'une remarque, là, une moquerie à l'emporte-pièce, ailleurs, une bouffonnerie tirée à quatre épingles, une boutade philosophique ou une bouffée d'humour noir.

Tous les propos, certes, ne font pas rire aux éclats. Comme il y a une voix blanche, il y a un sourire blanc, non timbré. Ce sourire discret de pince-sans-rire est l'apanage des femmes moralistes dont l'acuité acidulée cible les âmes tordues, les comportements critiquables ou les dysfonctionnements de la société. Fines mouches, fines guêpes, fines lames... pas de vague à la lame quand les femmes touchent ! Avec les crochets qui servent à denteler les phrases, les meilleures égratignent fermement.

Les plus audacieuses dégainent leurs insolences à la première occasion propice, sans vergogne et avec panache, faisant preuve de « cette jolie impertinence que les femmes peuvent avoir avec les hommes, fussent-ils grands-ducs » (Honoré de Balzac, *Les Employés*).

Au fil des siècles, les femmes ont gagné en truculence, en verdeur, en crudité. Si la veine poissarde a toujours existé, notamment dans la sphère privée, elle déborde, de nos jours, dans la sphère publique.

La gent féminine, longtemps renommée pour avoir les pieds sur terre, s'est aussi mise à explorer – tout comme les hommes – les régions d'*Absurdie*. Qui a bien pu réécrire la Genèse ainsi : « Au début, il n'y avait rien. Dieu dit : "Que la lumière soit !" et la lumière fut. Il n'y avait toujours rien, mais on le voyait bien mieux » ? C'est l'humoriste américaine Ellen DeGeneres.

Le seul domaine où les femmes ne se risquent guère est celui de la bouffonnerie démesurée, du cocasse en débridé majeur, du déjanté *abracadabranquignolesque*.

Aussi bien que les hommes, parfois mieux, les femmes remettent les chronomètres à la seconde. Bons mots, jeux de vocables, analogies caustiques, hyperboles empoisonnées, subtilités vitriolées, jugements à la machette, répliques fines, grivoiseries bien habillées, rosseries à dérider les agélastes les plus invétérés... l'esprit féminin, à travers les siècles, a imposé une polyvalence roborative.

Au jeu des devinettes, on pourrait bien se tromper:

– Vous fumez trop!

– Mon père a soixante ans, et il fume continuellement!

– Soit! Mais, s'il n'avait pas fumé, il en aurait soixante-dix!

De qui est la réplique finale? De Groucho Marx? Non, d'une actrice du XIXe siècle, Augustine Brohan.

«Ses paroles sont si vénéneuses qu'elles lui ont gâté les dents»... Qui a bien pu ciseler cette exagération? Jules Renard, dans son *Journal*? Philippe Bouvard dans *Maximes au minimum* (Robert Laffont, 1999)? Non, la brillante Natalie Clifford Barney, dans ses *Pensées d'une Amazone*.

Et encore:

– Les femmes m'ont toujours réussi!

– Excepté madame votre mère!

Qui a pu rabrouer de si sèche façon un vaniteux? Rivarol, Forain, Clemenceau, Laurent Baffie, Laurent Ruquier, Fabrice Éboué? Aucunement: la Brohan, déjà citée. En matière d'humour décapant, il est difficile de donner raison à la comédienne britannique Mrs Patrick Campbell (1865-1940), qui prétendait: «Dieu a privé les femmes du sens de l'humour pour qu'elles aiment les hommes au lieu de s'en moquer.»

Le constat suivant pourrait être assumé par Guy Bedos: «Beaucoup de riches font courir le bruit que l'argent ne fait pas le bonheur; c'est en vertu de cet axiome qu'en vrais philanthropes ils ne donnent jamais une obole.» C'est, en fait, l'une des «nuances morales» de Marie Valyère, auteure à redécouvrir.

«Un homme intelligent à pied va moins vite qu'un sot en voiture.» On dirait du Michel Audiard! Perdu, enfin presque! Ce constat a été fait par Delphine de Girardin, femme de lettres du XIXe siècle. C'est un «plagiat par anticipation» – comme on dit à l'Oulipo – de la réplique: «Deux intellectuels assis vont moins loin qu'une brute qui marche» (*Un taxi pour Tobrouk*).

Dernier exemple: «Quand on a le malheur d'avoir plus d'esprit que son supérieur, il faut paraître en avoir moins», écrivait la comtesse d'Houdetot... bien avant que Frédéric Dard ne livre ce conseil: «Il faut toujours faire croire à votre supérieur que vos bonnes idées viennent de lui.»

Concocter une telle anthologie ne va pas sans problèmes d'attribution, surtout dans le domaine du spectacle. Pour s'en tenir aux temps modernes, certaines humoristes font équipe, créative, avec des hommes. Les sketchs de Muriel Robin sont souvent l'œuvre de la comédienne et de Pierre Palmade... lequel a travaillé, entre autres, pour Chantal Ladesou (voir *Y a une femme là-d'sous*). Dans la chronique *On ne nous dit pas tout*, Anne Roumanoff – qui ne le cache pas – doit beaucoup au très caustique Bernard Mabille et à François Meunier. Enfin, si beaucoup se souviennent du sketch «La conférencière», interprété par Jacqueline Maillan, combien savent qu'il était, en fait, signé par son mari, le parolier-compositeur Michel Emer?

Inversement, des plumes féminines sont mises en valeur par des hommes. «La boîte vocale», succès de Jean-François Dérec, est le fruit de la fantaisie *boccolinienne*. La fameuse repartie d'Arletty sur l'internationalité de son derrière n'était pas du tout de son cru mais du dialoguiste Henri Jeanson.

Autre cas de figure : une femme à côté d'une femme. Sylvie Joly a joué des situations inventées par sa sœur Fanny ou par Laurence Boccolini.

Le collecteur de bons mots risque enfin d'être abusé par la masculinité de quelques pseudonymes, notamment au XIXᵉ siècle. Hormis le fameux cas de George Sand, il y eut Daniel Darc (Marie Régnier), Daniel Stern (Marie d'Agoult) ou, en Angleterre, George Eliot (Mary Anne Evans). La plume qui signait « vicomte de Launay » était celle de Delphine Gay de Girardin. Philippe Gerfaut et Marguerite Dardenne de La Grangerie désignaient la même personne.

La méprise existe dans l'autre sens. La « Valentine de Coin-Coin » du *Canard enchaîné* masquait – pour le grand public – Pierre Châtelain-Tailhade. Il en fut ainsi, dans le même journal, de Jeanne Lacane (le chroniqueur Dominique Durand, dont le prénom épicène pouvait pourtant le dispenser de se féminiser).

Toute vérité est bonne à dire et, si possible, à sourire ou à rire. Ce bouquet de réflexions savoureuses devrait nous encourager à dépasser le constat d'Anne Barratin (*De vous à moi*) : « On recherche les personnes gaies plus qu'on ne les estime. » Estimons-les autant que nous les recherchons !

Aimer la compagnie intellectuelle des femmes, c'est considérer aussi que, de toute évidence et en matière de profondeur, il n'y a pas que leur décolleté qui soit parfois vertigineux – contrairement à ce que prétendit l'actrice américaine (et joviale) Zsa Zsa Gabor.

Cette anthologie est nécessairement lacunaire. Bien d'autres femmes pourraient être citées. Macha Méril, ma rieuse et délicieuse complice, n'a pas voulu figurer dans l'anthologie. Pourtant, des extraits de *J'aime pas* – recueil de notations judicieusement acidulées (Le cherche midi, 1997) – y auraient trouvé leur place légitime :

> *Une femme trop fardée s'éloigne de ceux qui la regardent. Enrobée, cartonnée, bouclée. On reste sur le seuil. Alors qu'elle veut qu'on entre.*

En livrant, en douce, cet *alléchantillon,* je profite de mon pré carré préfaciel et assume de déplaire à ma pétillante coauteure, une actrice qui sert si bien les textes d'autrui tout en sachant cuisiner ses propres mots.

CHRISTIAN MONCELET

Note des auteurs

Autant que faire se peut, les références sont précisées. Pour certaines pensées, il nous a été impossible de situer le contexte de leur parution ou de leur profération.

Un très grand merci à **LAURENCE CANHAM** pour ses recherches et ses traductions de citations anglo-américaines.

Académicien

On devrait appeler les académiciens la confrérie des pénitents verts, car ils sont tout le temps en train d'enterrer quelqu'un.

CLAIRE DE DURAS

L'habit est ce qui reste de plus vert chez un académicien.

DANIEL DARC,
Sagesse de poche

Lors d'une élection à l'Académie française, l'historien Mignet l'emporta sur Victor Hugo. **DELPHINE DE GIRARDIN** déplora ce résultat, obtenu malgré les soutiens de Chateaubriand et de Lamartine. Elle commenta:
– Si l'on pesait les voix, Victor Hugo serait élu; hélas! on les compte.

Académie

Les Académies sont des sociétés comiques où l'on garde son sérieux.

MADAME DE LINANGE

Le privilège d'appartenir à une assemblée d'élite n'est qu'un stimulant très secondaire.

GEORGE SAND
(jugement formulé en 1863)

À quoi sert l'Académie ? À faire croire à ceux qui en sont qu'ils valent mieux que ceux qui ont envie d'en être.

COMTESSE DIANE,
Le Livre d'or

Actes

Comme on ne connaît d'abord les hommes que par les paroles, il faut les croire jusqu'à ce que les actions les détruisent.

MARQUISE DE SÉVIGNÉ,
Lettres à Mme de Grignan, 28 novembre 1670

Actrice

Quand on bénéficie d'un succès populaire, on n'a pas besoin d'être une véritable actrice.

JEAN HARLOW

Katharine Hepburn joue sur toute la gamme des émotions...
de do à ré.

DOROTHY PARKER

Une comédienne débutante. – Moi, je n'ai pas le trac avant de
jouer.
SARAH BERNHARDT. – Ça viendra, vous verrez, quand vous
aurez du talent!

Pourquoi je réussis très bien dans les rôles de garces ? Parce que
je n'en suis pas une. C'est probablement pour cette raison
que Joan Crawford joue toujours des dames respectables.

BETTE DAVIS

Le plus important pour un acteur, c'est de savoir rire et pleurer.
Si j'ai besoin de pleurer, je pense à ma vie sexuelle. Si j'ai besoin
de rire, je pense à ma vie sexuelle.

GLENDA JACKSON

Adaptation

Les oiseaux de passage savent trouver en tous lieux la saison
qui les fait vivre, pourquoi les hommes ne seraient-ils pas aussi
spirituels que les oiseaux ? Hélas, ils n'ont pas d'ailes !

DELPHINE DE GIRARDIN,
Lettres parisiennes

Adieux

Prolonger les adieux ne vaut jamais grand-chose ; ce n'est pas la présence que l'on prolonge, mais le départ.

ELIZABETH BIBESCO,
The Fir and the Palm (Le Sapin et le Palmier)

Admiration

Ce n'est pas le tout de se faire admirer, il faut encore se le faire pardonner.

COMTESSE DIANE,
Les Glanes de la vie d'or

Approuvez, mais admirez rarement ; l'admiration est le partage des sots.

MADAME DE LAMBERT,
Avis d'une mère à sa fille

Adolescent

L'adolescence est comme un cactus.

ANAÏS NIN,
Une espionne dans la maison de l'amour

Agrippine, héroïne adolescente de **CLAIRE BRETÉCHER**, commente le film *Amadeus* de Milos Forman sur Mozart (1984) : « Mozart, c'est nul, sauf la musique du film. »

Adulte

Qu'est-ce qu'un adulte ? Un enfant gonflé d'âge.

SIMONE DE BEAUVOIR,
La Femme rompue

Adultère féminin

Les femmes ne craignent pas d'être soupçonnées de plusieurs amants, mais elles ne voudraient pas en avouer un.

MADELEINE DE PUISIEUX,
Les Caractères

Quand votre femme vous trompe, on est ridicule si on l'ignore, complaisant si on le sait, et névrosé si on en souffre.

FRANÇOISE SAGAN,
La Robe mauve de Valentine

Elle se familiarise maintenant avec l'idée de l'adultère. « Robert ne le saura jamais. Et, au fond, je ne trompe pas. On ne peut tromper que celui qu'on aime. Et je ne l'aime pas. »

CHRISTINE ARNOTHY,
Un type merveilleux

– Pourquoi ne trompes-tu pas ton mari, si tu t'ennuies ?
– Ma pauvre chérie, il ne s'en apercevrait même pas.

LUCIE PAUL-MARGUERITTE,
Paillettes

Adultère masculin

Mon mari m'a tellement trompée que je ne suis même pas sûre d'être la mère de mes propres enfants.

DUCHESSE DE LAURAGAIS

— Qu'est-ce que tu feras si ton mari te trompe ? Moi, je lui rends la pareille immédiatement.
— Moi, je m'en garderai bien : je perdrais le droit de le lui reprocher.

LUCIE PAUL-MARGUERITTE,
Paillettes

— Comment faites-vous, Pauline, pour empêcher votre mari de courir le guilledou ?
— C'est très facile, pour l'empêcher de courir, je lui casse la patte tous les matins !

PAULINE DE METTERNICH à l'impératrice Eugénie,
inquiète des infidélités de Napoléon III

Ce qui peut consoler l'ouvrier d'usine, c'est que le bourgeois doit, lui aussi, pointer à heures précises pour tromper clandestinement sa femme.

ANNE-MARIE CARRIÈRE,
Dictionnaire des hommes

Il est souvent plus difficile de se débarrasser d'une maîtresse que de l'acquérir.

NINON DE LENCLOS

Affabilité

L'affabilité n'est souvent que la grimace de la bienveillance.

JULIE DE LESPINASSE,
propos cité par Louis de Montchamp,
L'Esprit des femmes célèbres

Âge

Les années ne font pas des sages, elles ne font que des vieillards.

ANNE-SOPHIE SWETCHINE,
Choix de méditations

❧

Oh! l'âge, tu sais, ça dépend des jours! Hier, je n'en avais pas, aujourd'hui j'ai quinze ans, et demain nous fêterons peut-être mon centenaire.

LOUISE DE VILMORIN,
La Lettre dans un taxi

❧

L'âge ne vous protège pas des dangers de l'amour, mais l'amour vous protège des dangers de l'âge.

JEANNE MOREAU

Âge des femmes

Méditez cet axiome, mesdames. L'âge qu'on veut avoir gâte celui qu'on a.

DANIEL DARC,
Sagesse de poche

❧

Quand les femmes ont passé trente ans, la première chose qu'elles oublient, c'est leur âge.

NINON DE LENCLOS

⚜

Une dame. – On vous donne cinquante ans.
SOPHIE ARNOULD. – Oui, mais je ne les prends pas.

⚜

La femme a quatre âges : celui que porte son acte de naissance, celui qu'elle se donne, celui que lui infligent ses rivales et celui qu'elle paraît avoir.

CLAUDIA BACHI,
Feuilles au vent

⚜

Les années qu'une femme retranche de son âge ne sont pas perdues : elles sont ajoutées à l'âge des autres femmes.

COMTESSE DIANE,
Les Glanes de la vie

⚜

La femme a dix-huit ans quand elle est amoureuse, et cent ans si elle n'est plus capable d'aimer.

LUCIE PAUL-MARGUERITTE,
L'Amour en flèches

Un journaliste demandait son âge à **MISTINGUETT**, qui venait d'avoir soixante-dix ans.
– Mon âge ? Disons que je suis plus près de soixante que de cinquante.

La plupart des gens qui vieillissent disent qu'ils ne se sont jamais sentis aussi jeunes. Moi, je ne me suis jamais sentie aussi vieille.
CLAIRE BRETÉCHER,
déclaration au *Figaro magazine*, 30 avril 1999

Elle avait trente-cinq ans, c'est-à-dire parfois dix-sept et parfois quarante-sept.
NATALIE CLIFFORD BARNEY,
Éparpillements

L'auteure Clare Booth Luce, qui avait dix ans de moins que sa compatriote **DOROTHY PARKER**, la laissa franchir une porte en premier :
Clara B. L. – L'âge d'abord, la beauté ensuite !
Dorothy P. – Vous voulez dire les perles avant la truie !

Âge des hommes

La meilleure façon d'obtenir que les maris fassent une chose consiste à leur suggérer qu'ils sont peut-être trop vieux pour cela.
SHIRLEY MACLAINE

On donne la Légion d'honneur aux hommes à l'âge où on leur ôte la prostate.

CHRISTINE FAVRE-JAUME,
Nous les monstres

Agenouillement

Ceux qui s'agenouillent risquent d'être pris pour des culs-de-jatte.

NATALIE CLIFFORD BARNEY,
Nouvelles pensées de l'Amazone

Agitation

On rirait de l'homme le plus actif, si l'on savait pour quelles bagatelles souvent il s'agite.

JULIE DE LESPINASSE,
propos cité par Louis de Montchamp,
L'Esprit des femmes célèbres

Air

On peut remédier à toutes les disgrâces physiques, hormis à un air niais.

DANIEL DARC,
Sagesse de poche

Pour avoir l'air naturel, j'ai besoin d'un très bon maquilleur.

DONATELLA VERSACE

Aléa

La roue de la Fortune ne s'immobilise jamais, le point le plus haut est donc le plus menacé.

MARIA EDGEWORTH

Allemand

Un Français sait encore parler, lors même qu'il n'a point d'idées ; un Allemand a toujours dans sa tête un peu plus qu'il n'en saurait exprimer.

GERMAINE DE STAËL,
De l'Allemagne

❖

Le mérite des Allemands, c'est de bien remplir le temps ; le talent des Français, c'est de le faire oublier.

GERMAINE DE STAËL,
ibid.

❖

J'ai épousé un Allemand. Tous les soirs, je me déguise en Pologne, et il m'envahit.

BETTE MIDLER

Amants

Les bons amants, ce sont les femmes qui les construisent. Les hommes, il faut tout leur apprendre et surtout leur laisser croire le contraire.

VICTORIA ABRIL

❖

Une femme garde généralement beaucoup de reconnaissance à l'amant qui a voulu la tuer.

MARGUERITE GRÉPON,
Lotissement-journal

Âme

Notre âme est comme le fruit : en mûrissant, elle se détache.

AUGUSTA AMIEL-LAPEYRE,
Pensées sauvages

Amélioration

Je vois une objection à tout effort pour améliorer la condition humaine : c'est que les hommes en sont peut-être indignes.

MARGUERITE YOURCENAR,
Mémoires d'Hadrien

Amérique

En Amérique, le sexe est une obsession ; ailleurs, c'est un fait.

MARLENE DIETRICH

⚜

À propos du Parti républicain, **JULIA ROBERTS** a fait cette remarque lexicale : « Dans le dictionnaire, le mot *republican* se trouve juste après *reptile* et juste avant *repulsive.* »

Amitié

L'amitié est la sœur de l'amour, mais pas du même lit.

SOPHIE ARNOULD

⚜

L'idéal de l'amitié, c'est de se sentir un et de rester deux.

ANNE-SOPHIE SWETCHINE,
Pensées

⚜

Ne contez pas votre bonheur aux amis pour ne pas faire d'envieux. Ne leur contez pas vos tristesses pour ne pas faire d'heureux.

MARIE DU DEFFAND,
Correspondance

Nos amis sont si exigeants pour nous qu'ils ont peine à se contenter de notre bonheur.

DELPHINE DE GIRARDIN

Un ami est un homme qui se croit en toute occasion le droit de vous dire une vérité blessante, de vous donner un conseil inutile et de vous emprunter votre argent sans vous le rendre.

DANIEL STERN,
Esquisses morales, pensées, réflexions et maximes

Je m'éloigne des gens encombrés d'amis. Que faire autour d'eux sinon, comme dans les incendies, la chaîne ?

ANNE BARRATIN,
Pensées (dans *Œuvres posthumes*)

On ne règle à l'amiable que ce qu'on règle sans s'aimer.

FRANÇOISE CHANDERNAGOR,
La Première Épouse

On a toujours un ami qui appelle pour prendre de *ses* nouvelles.

MICHÈLE BERNIER,
Le Petit Livre de Michèle Bernier

Amour

On attache trop d'importance au mot « amour », au verbe « aimer ». C'est un mot qui marche sur sa réputation. On a beau vouloir le remettre à sa place, rétablir les faits, il reste plus beau que les autres, plus patiné.

CLAIRE DE LAMIRANDE,
Jeu de clefs

L'amour est ce je ne sais quoi, qui vient de je ne sais où, et qui finit je ne sais comment.

MADELEINE DE SCUDÉRY

L'amour est une maladie sans laquelle on ne se porte pas bien.

MARGUERITE GRÉPON,
Pour une introduction à une histoire de l'amour

Les poètes sont des fous d'avoir donné à l'amour un arc, un carquois et un flambeau ; le pouvoir de ce dieu ne réside que dans son bandeau.

NINON DE LENCLOS

Il y a deux sortes d'amour : l'amour insatisfait, qui vous rend odieux, et l'amour satisfait, qui vous rend idiot.

COLETTE

L'amour est un châtiment. Nous sommes punis de n'avoir pas pu rester seuls.

MARGUERITE YOURCENAR,
L'Œuvre au noir

L'amour est comme l'écureuil, hardi et timide à la fois.

CARMEN SYLVA,
Les Pensées d'une reine

L'amour, c'est comme le potage : les premières cuillerées sont trop chaudes, les dernières sont trop froides.

JEANNE MOREAU

L'amour a raison de tout, sauf de la pauvreté et du mal de dent.

MARGUERITE DE BLESSINGTON,
Pensées décousues

Amoureuses

Il y a des femmes qui parlent de l'amour par expérience, d'autres par ouï-dire, celles-ci ne sont pas les moins instruites.

DELPHINE DE GIRARDIN

❖

Les femmes froides sont celles qui aiment le plus l'amour, comme les frileuses le feu.

MADAME DARDENNE DE LA GRANGERIE,
Pensées d'automne

❖

La femme dit : « Je t'aime. » L'homme dit : « Aime-moi. »

AUGUSTA AMIEL-LAPEYRE,
Pensées sauvages

❖

T'ai-je assez remercié
De l'amour que j'avais pour toi ?

ANNA DE NOAILLES,
Poème de l'amour

❖

J'ai eu mille raisons de quitter un humoriste célèbre, mais comme je vis toujours auprès de lui, il y a sans doute une mille et unième qui me fait réussir cet amour au long cours.

MARYSE WOLINSKI,
Georges, si tu savais...

À chaque fois que je suis amoureuse, mon hymen repousse.

AGNÈS SORAL,
Agnès Soral aimerait bien vous y voir

Amoureux

La comédienne **BERTHE CERNY** avait adopté comme devise :
« Aimez-moi les uns les autres. »

CITÉ PAR PAUL LÉAUTAUD,
Journal littéraire

Un homme amoureux est comme un coupon de réduction, il
faut le faire passer à la caisse sans plus attendre.

MAE WEST,
On Sex, Health and ESP

Si un homme m'aime, il ne doit pas me préférer quelque chose
d'autre, pas même le suicide.

COLETTE,
Le Toutounier

J'ignore les amours de Machiavel... mais je suppose qu'il n'a pu
être séduit que par une âme droite et confiante.

AUGUSTA AMIEL-LAPEYRE,
Pensées sauvages

Amour défendu

Dissimuler un amour défendu, ce n'est pas mal. Mais ne pas pouvoir le cacher, c'est encore mieux!

COLETTE

Amour physique

Ces plaisirs qu'on nomme, à la légère, physiques.

COLETTE,
Ces plaisirs

❦

La chair est éducative aussi bien que les livres, et les sens appartiennent à l'esprit.

FRANÇOISE PARTURIER

❦

NINON DE LENCLOS rédigea son autobiographie pour des admirateurs anglais, mais en ne disant rien de ses histoires galantes. Elle l'envoya à Saint-Evremond avec ce commentaire: «Voici mon portrait... mais vous ne l'avez qu'en buste.»

❦

Rose Vestris. – Sophie, votre mari vous met bien souvent grosse!
SOPHIE ARNOULD. – Ma chère amie, souris qui n'a qu'un trou est bientôt prise.

❦

Suzanne Lagier avait de nombreux amants. Un jour qu'elle se faisait gratifier d'un cunnilingus par l'un d'eux, un autre arriva.

Sans se démonter, la comédienne fit les présentations des deux hommes en disant : « Comme vous êtes frères de cul, il faut que vous vous connaissiez. »

SUZANNE LAGIER,
citée par les frères Goncourt, *Journal*, février 1854

Pourquoi un homme ne peut-il jamais parler de la sensualité féminine sans dire d'énormes bêtises ?

COLETTE,
Duo

Quand je ne fais pas l'amour, la seule chose que je regrette vraiment est la cigarette qu'on fume après.

FLORENCE KING

Amour platonique

L'amour platonique, c'est l'homme qui a de la religion mais qui ne pratique pas.

SOPHIE ARNOULD

Amour-propre

L'amour-propre est, hélas ! le plus sot des amours.

ANTOINETTE DESHOULIÈRES,
Réflexions diverses

Il est plus difficile de bien faire l'amour que de bien faire la guerre.

NINON DE LENCLOS

La fierté a rarement un juste milieu, on en a trop ou pas assez.

MARGUERITE DE BLESSINGTON

❀

Il y a des gens qui ne parlent jamais d'eux-mêmes ; mais c'est pour y penser toujours.

ANNE-SOPHIE SWETCHINE,
Pensées

❀

Rien de plus sale que l'amour-propre.

MARGUERITE YOURCENAR,
Feux

❀

Les hommes ont tous un point sensible. Certains apprécient qu'on leur gratte le dos, la base de la nuque. Mais le grand art, c'est de leur chatouiller agréablement l'honneur, qui n'est jamais placé au même endroit.

ANNE-MARIE CARRIÈRE,
Dictionnaire des hommes

❀

Même un homme intelligent, s'il est vexé dans son ego, peut sortir une ânerie.

MARIA PACÔME,
Maria sans Pacôme

Amour sans retour

Aimer sans être aimé, c'est vouloir allumer une cigarette à une autre cigarette éteinte.

GEORGE SAND

Anglais

J'aime à la folie présentement les jardins à l'anglaise, les lignes courbes, les pentes douces [...]. Je hais les fontaines qui donnent la torture à l'eau pour lui faire prendre un cours contraire à sa nature : l'anglomanie domine dans ma plantomanie.

CATHERINE II DE RUSSIE,
Lettre à Voltaire, 25 juin 1772

⚜

Que voulez-vous, ils sont froids, les British, ils sont constipés. Question sentiments, ils ferment de bonne heure.

CLAUDE SARRAUTE,
Le Monde (19 décembre 1985)

⚜

Les chaussures des Anglaises semblent avoir été fabriquées par quelqu'un à qui on avait souvent décrit des chaussures mais qui n'en avait jamais vu.

MARGARET HALSEY,
With Malice Toward Some

Animaux

Il y a des maris qui sont si bêtes que celles qui vivent avec eux ne doivent point trouver étrange de vivre avec leurs semblables.

MARGUERITE DE NAVARRE,
L'Heptaméron

⚜

Plaignons les tourterelles qui ne se baisent qu'au printemps !

NINON DE LENCLOS

⚜

– Quel est votre animal préféré ?
– L'homme.

JULIE CHOJECKI,
propos cité par les frères Goncourt,
Journal, 1ᵉʳ mai 1859

❧

Si par nature, l'homme est une bête de sexe, j'ai toujours eu des animaux de compagnie.

MAE WEST,
On Sex, Health and ESP

❧

Pourquoi plaindre toujours Prométhée et jamais le vautour ? L'acharnement de cet oiseau de proie, avec le foie pour seul plat de résistance, sa fidélité à la douleur d'autrui, ont pourtant quelque chose de troublant comme un amour.

NATALIE CLIFFORD BARNEY,
Nouvelles pensées de l'Amazone

❧

L'autruche qui enfouit la tête dans le sable veut, en tout cas, vous donner le sentiment que cette tête est la partie la plus importante de sa personne.

KATHERINE MANSFIELD,
Journal

❧

Moi, si la Nature me donne
Une autre vie, j'veux être pigeonne.
Je pourrai, en étant pigeonne,
Sur la fenêtre de ceux-là

Qui me tracassent et qui m'embêtent
Depuis que je suis ici-bas,
Je pourrai, dis-je, charmante bête,
Sur leur fenêtre aller poser
Enfin... ma façon de penser!

ANNE-MARIE CARRIÈRE,
Poèmes à rire et à sourire,
«Les salisseurs de cathédrales»

Apparences

Les apparences sont bien en péril puisqu'il s'agit toujours de les sauver.

NATALIE CLIFFORD BARNEY,
Pensées d'une Amazone

❧

Aimer une personne pour son apparence, c'est comme aimer un livre pour sa reliure.

LAURE CONAN,
Angéline de Montbrun

Arabe

Comme Arabe, j'ai trois façons de parler : en arabe, en français et sous la torture.

NABILA BEN YOUSSEF

Archéologue

Les archéologues font les meilleurs maris ; plus vous vieillissez, plus ils s'intéressent à vous.

AGATHA CHRISTIE,
mariée précisément à un archéologue

Argent

On demande à l'argent le bonheur, la joie, l'esprit, le plaisir; le meilleur acteur cependant ne peut pas jouer tous les rôles.

ANNE BARRATIN,
Ce que je pense

❖

Beaucoup de riches font courir le bruit que l'argent ne fait pas le bonheur; c'est en vertu de cet axiome qu'en vrais philanthropes ils ne donnent jamais une obole.

MARIE VALYÈRE,
Nuances morales

❖

Les nouveaux riches scellent leur coffre-fort avec une hostie.

ANNA DE NOAILLES,
citée par Édouard Herriot dans *Notes et maximes* (1961)

❖

Personne ne se souviendrait du Bon Samaritain s'il n'avait eu que de bonnes intentions. Il avait aussi de l'argent.

MARGARET THATCHER,
interview pour *The Spectator* (1980)

❖

Il y a des trucs dans l'Évangile qui sont à côté de la plaque. Je vois la tête de mes syndicalistes si je leur disais que l'employé de la onzième heure va gagner autant que les autres. J'aurais une grève sur les bras immédiatement.

NICOLE DE BURON,
Chéri, tu m'écoutes? Alors répète ce que je viens de dire...

❖

– L'argent, c'est pas le plus important...
– Ah ouais, on voit que c'est pas toi qui le ramènes !

CÉCILE TÉLERMAN,
Tout pour plaire

Aristocratie

Une aristocratie dans une république est comme un poulet auquel on a coupé la tête. Il peut courir encore un peu comme s'il vivait, mais, en fait, il est mort.

NANCY MITFORD,
Noblesse oblige

On sait que Giscard défaille devant une particule. Ce bourgeois auvergnat donnerait tout ce qu'il possède – et pourtant il n'aime pas donner ! – pour appartenir à l'aristocratie. Hélas, on ne se naturalise pas plus aristocrate qu'on ne se naturalise ouvrier.

FRANÇOISE GIROUD,
Leçons particulières

Noblesse d'empire. Madame Sans-Gêne fut l'un des plus beaux fleurons de l'*aristocrassie*.

ANNE DE BARTILLAT,
Le Fauxcabulaire

Arithmétique matrimoniale

Tout conjoint trouve que sa moitié a un caractère entier chaque fois qu'elle ne se met pas en quatre pour lui.

FRANÇOISE PARTURIER,
Les lions sont lâchés

Arithmétique sentimentale

En bonne arithmétique, un plus un égale tout et deux moins un égale rien.

NINON DE LENCLOS

Quelle est l'arithmétique du sentiment ? Un et un font un.

COMTESSE DIANE,
Le Livre d'or

Je veux faire un + un. J'en ai marre de faire un toute seule. Un toute seule, c'est zéro au bout d'un moment, non ?

KATHERINE PANCOL,
Les écureuils de Central Park sont tristes le lundi

Mais je trouve que les maths, c'est pas la vie, parce que la vie, c'est pas logique. Parce que chez les êtres humains, un et un font trois et même parfois plus...

AMANDA STEERS,
Ma place sur la photo

Armes

Les femmes ont deux armes efficaces : le maquillage et les larmes. Heureusement, elles ne peuvent s'en servir simultanément.

MARILYN MONROE

Quelle est l'arme la plus dangereuse ? La patte de velours.

COMTESSE DIANE,
Le Livre d'or

Arrondir les angles

Marcelle Ségal, courriériste du cœur à *Elle*, méprise les femmes qui lui écrivent. Elle les prend pour des flasques, des bernées, des victimes consentantes, des petites sottes, des cocues permanentes et leur demande d'arrondir les angles pour qu'ils ne donnent jamais de bleus à leurs maris.

SYLVIE CASTER,
dans *Charlie Hebdo*, 20 octobre 1977

Artistes

Les artistes sont souvent les lutins de la pensée.

AUGUSTA AMIEL-LAPEYRE,
Pensées sauvages

Comme artiste, si on ne prend pas de risques, on s'ennuie et on ennuie.

MURIEL ROBIN

La nature est une œuvre d'art mais Dieu est le seul artiste qui existe et l'homme n'est qu'un arrangeur de mauvais goût.

GEORGE SAND,
François le Champi

Arts

– Arthur, il fait de la sculpture conceptuelle, c'est très beau : des torchons plâtrés passés à la machine à laver.
– Faut avoir le coup d'œil : des torchons plâtrés !
– Non, non ! Ce sont les machines à laver qui sont exposées !

JOSIANE BALASKO,
La Femme de ma vie

❖

La musique techno, on sait pas si y a de la musique dans le bruit ou du bruit dans la musique.

LAURENCE SÉMONIN,
Les Brèves de la Madeleine

❖

Du peintre Windham Lewis (cofondateur du mouvement pictural « vorticiste » en 1914) : « Ses œuvres semblent avoir été peintes par une main d'acier dans un gant de coton. »

EDITH SITWELL

❖

Le cinéma, c'est comme un père, ça fait rêver. Le théâtre, c'est comme une mère, on y revient toujours.

VALÉRIE LEMERCIER

❖

Je ne crois pas aux valeurs qui régissent l'art d'aujourd'hui... La loi du nouveau. La loi de la surprise... La surprise est une chose morte. Morte à peine conçue.

YASMINA REZA,
Art

Astrologie

Les Poissons ascendant Taureau nés en Éthiopie en 1992 ont tout aussi mauvais caractère que les Poissons ascendant Taureau nés à Paris la même année. Simplement, ceux d'Éthiopie râlent de crever de faim, alors que ceux de Paris râlent de n'avoir pas tous reçu, à leur naissance, une console de jeux électroniques. C'est la faute aux astres.

LES FILLES
(Michèle Bernier, Isabelle de Botton, Mimie Mathy),
C'est fort, fort, fort

Athéisme

Il existe des fanatiques d'incrédulité aussi tyranniques et aussi déraisonnables que les plus exaltés dévots.

DANIEL DARC,
Petit bréviaire du Parisien

Je suis athée. Profondément athée. C'est en moi, comme mon cholestérol.

MARIA PACÔME,
L'Éloge de ma paresse

En taule, à la Libération, une jeune religieuse a voulu me rapprocher de Dieu. Je lui ai répondu que nous nous étions connus et que ça n'avait pas marché.

ARLETTY,
Les Mots d'Arletty

J'aimerais bien être croyante, mais non... Alors, j'ai abandonné Dieu, et, pendant qu'on prie, moi, je pète sur scène.

VALÉRIE LEMERCIER,
interview à *Globe Hebdo* (17 février 1993)

Attente

On s'attend à tout, et on n'est jamais préparé à rien.

ANNE-SOPHIE SWETCHINE,
Airelles, dans *Pensées*

– J'attends.
– Quoi?
– L'inattendu.

AUGUSTA AMIEL-LAPEYRE,
Pensées sauvages

Aujourd'hui

Hier est l'histoire, demain est un mystère, aujourd'hui est un cadeau de Dieu, c'est pourquoi on l'appelle «présent».

JOAN RIVERS

Autodérision

Quiconque sait rire de soi ne cessera de s'amuser.

SHIRLEY MACLAINE

On n'est pas ridicule dans une situation ridicule, dès qu'on a l'esprit d'être le premier à en rire.

COMTESSE DIANE,
Le Livre d'or

Comme je n'ai, jamais de ma vie, pu me vanter d'avoir quelque chose de joli, j'ai pris le parti de rire de moi-même, de ma laideur, et cela m'a réussi.

LA PRINCESSE PALATINE

J'ai fait don de mon corps à la faculté de médecine. Ce ne sera pas vraiment un beau cadeau aux étudiants. J'ai même pensé à me faire tatouer autour du cou : « Tant pis pour vous ! »

PAULINE CARTON

Je ne suis pas photogénique. Dans une piscine, quand j'ai la tête mouillée, j'ai l'air d'un rat saucé dans l'huile.

MARIA PACÔME,
Maria sans Pacôme

Thierry Ardisson. – Quel est votre secret de beauté ?
FLORENCE FORESTI. – La pénombre !

J'éclate de rire en pensant que je suis une femme, mais ça ne dure pas.

SHELLEY WINTERS

Ris de toi avant tout, avant qu'un autre ne puisse le faire.

ELSA MAXWELL

Autonomie

Apprends à te passer des autres, mais laisse-leur croire que tu as besoin d'eux.

MARIE VALYÈRE,
Nuances morales

Avances

Avant d'être chanteuse, **ÉDITH PIAF** fut ouvrière. Elle n'était pas toujours à l'heure pour pointer, mais on fermait les yeux... :
– Le contremaître tolérait mes retards pour que j'autorise ses avances.

Avenir

L'avenir est comme les nuages : on y voit tout ce que l'on veut.

CLAUDINE DE TENCIN

Aveux

Beaucoup de gens croient que l'aveu de leurs défauts les dispense de s'en corriger.

MARIE VON EBNER-ESCHENBACH,
Aphorismes

À quoi servent les aveux ? À faire croire que l'on n'est coupable que de ce que l'on avoue.

COMTESSE DIANE,
Le Livre d'or

Avis

On ne demande guère d'avis que pour faire approuver le sien.

MADAME D'ARCONVILLE

Je suis bien loin d'abonder dans mon sens.

MARQUISE DE SÉVIGNÉ,
Lettres à Mme de Grignan, 15 janvier 1690

Avocats

Les avocats sont comme les lames d'une paire de ciseaux qui ne s'entaillent pas entre elles. Mais gare à ce qui passe en travers !

AUGUSTINE BROHAN

Tu veux faire du théâtre ?! Si tu veux t'exprimer, fais ce que je te dis, fais ton droit ! Le barreau, c'est autre chose que les planches ! Tu explores tous les recoins du sentiment humain [...]. C'est le théâtre de la vie, pas de la déconnade !

FANNY ET THIERRY JOLY,
La Si Jolie Vie de Sylvie Joly

Avortement

Si les hommes pouvaient attendre un enfant, l'avortement serait un sacrement.

FLORYNCE KENNEDY

Baisers

Je ne peux pas croire que ce sont les baisers de princes char-
mants qui sortent les princesses de leurs siestes séculaires, non,
les baisers endorment, ce sont les gifles qui réveillent.

MARIE DESPLECHIN,
Sans moi

Pour une femme, le premier baiser est la fin du commencement;
pour un homme, le commencement de la fin.

HELEN ROWLAND,
A Guide to Men

Banquier

Le mec assis au fond là-bas, avec son portable, c'est mon banquier. Une caricature, il est persuadé que, quand il pète, il fait chuter la Bourse!

CÉCILE TÉLERMAN,
Tout pour plaire

Comment hésiterions-nous à confier notre argent à des banques qui mettent des petites chaînes à leurs stylos à bille?

LOUISE DE VILMORIN

Bavard

La comtesse de Fiesque (1619-1699) était une femme intarissable, virevoltante, multipliant les aventures galantes. C'est à son sujet que **MME DE CORNUEL** inventa l'expression «moulin à paroles», passée dans le langage courant.

Il est souvent aussi difficile de faire parler une femme que de la faire taire.

SOPHIE ARNOULD

N'avoir rien à dire, chez nous, n'est pas une raison pour ne point parler, quand il n'y a pas de nouvelles, on en invente.

DELPHINE DE GIRARDIN,
Lettres parisiennes

On dit des femmes qu'elles parlent beaucoup ; pourtant elles forment encore la majorité silencieuse.

LOUISE LEBLANC,
Croque-messieurs

Cette patiente parle trop ; elle, c'est pas les trompes qu'il faudrait lui ligaturer, c'est les cordes vocales !

DANIÈLE THOMSON,
Le code a changé

La plupart des hommes ennuyeux sont ceux qui savent tout mais qui n'arrêtent pas d'en parler.

ANNE-MARIE CARRIÈRE

Parler de soi est une chose dont on ne se lasse jamais. Nous, les comédiens, on y passerait la nuit.

MARIA PACÔME,
L'Éloge de ma paresse

Si je le peux, je fais de l'exercice tous les jours, mais il arrive que je ne fasse rien ; alors, là, je me dis : « Je parle assez pour brûler des calories. »

SANDRA BULLOCK,
interview à *Instyle*, août 2009

Beau à exposer

Quand je demande à certains pourquoi ils accrochent au mur des têtes de cerf, ils me répondent toujours : « Parce que c'est un bel animal. » Bon, eh bien moi, je trouve que ma mère est très belle et je me contente d'accrocher des photos.

ELLEN DEGENERES

Beauté

La beauté sans grâce est un hameçon sans appât.

NINON DE LENCLOS

Alors dans tout l'éclat de sa jeunesse et de sa beauté, la comédienne **LOUISE CONTAT** fut dépitée que son amant, le maréchal de Narbonne, jetât son dévolu sur Mme de Staël, au visage boutonneux : « À la rose, M. de Narbonne préfère maintenant les boutons ! »

Je conseillerais aux femmes, lorsqu'elles viennent à se demander quel est l'effet des ans sur leur charme, de consulter moins leur miroir que le visage de leurs contemporaines.

DANIEL STERN,
Esquisses morales, pensées, réflexions et maximes

Un gaffeur, placé dans un repas entre Mme de Staël et Mme de Récamier, crut bon de faire ce compliment : « Je suis entre l'esprit et la beauté.» Sur quoi, Mme de Staël rétorqua: «C'est la première fois, monsieur, que l'on me dit que je suis jolie.»

GERMAINE DE STAËL

⚜

Les femmes préfèrent être belles plutôt qu'intelligentes parce que, chez les hommes, il y a plus d'idiots que d'aveugles.

YVONNE PRINTEMPS

⚜

À trente ans, une femme doit choisir entre son derrière et son visage.

COCO CHANEL

⚜

Vous êtes jolie femme et n'oubliez pas que, pour le rester, il faut apprendre à le savoir.

ALICE PARIZEAU,
Les lilas fleurissent à Varsovie

⚜

Éléonore. – [Il est] très beau, ça, je dois le reconnaître, il est remarquablement bien fait.
Sébastien. – C'est déjà ça. Quoique à mon sens, pour un homme... Comme disait Talleyrand, «la beauté fait gagner quinze jours».
Éléonore. – Comme au bout de quinze jours un homme me fatigue, je gagne du temps.

FRANÇOISE SAGAN,
Château en Suède

L'esprit au féminin

Beaux esprits

Les beaux esprits sont comme les roses : une seule fait plaisir, un grand nombre entête.

SOPHIE ARNOULD

Bec cloué

Napoléon. – Madame, on a dû vous dire que je n'aimais pas les femmes d'esprit !
SOPHIE GAY. – Oui, Sire... mais je ne l'ai pas cru.

Un chasseur. – Mon dernier ours, je l'ai tué dans l'Alaska. C'était lui ou moi !
PAULINE CARTON. – Il valait mieux que ce fût l'ours. Sans vous vexer, vous ne feriez pas un beau tapis !

Un homme. – Impossible pour moi de venir à votre soirée, madame Parker, je ne peux supporter les imbéciles.
DOROTHY PARKER. – C'est étrange : votre mère l'a pourtant fait !

À la Libération, la comédienne Cécile Sorel, soupçonnée de relations amicales avec des Allemands, comparut devant un comité d'épuration. Le président du tribunal l'interrogea :
Le président. – Comment avez-vous pu vous faire photographier avec deux cents ennemis ?
CÉCILE SOREL. – Fallait pas les laisser entrer !

Repartie citée
dans *Les Mots d'Arletty*

Sacha Guitry. – Si vous mourez avant moi, je ferai écrire sur votre tombe : «Enfin froide!»

YVONNE PRINTEMPS. – Et moi, Sacha, si je vous survis, je ferai écrire sur la vôtre : «Enfin raide!»

Bel âge

Les dix plus belles années d'une femme se situent entre vingt-huit et trente ans.

SOPHIE ARNOULD

Belle-mère

Ma belle-mère n'aurait pas été embarquée par Noé sur son arche, parce qu'il n'aurait trouvé aucun animal pour faire la paire avec elle.

PHYLLIS DILLER

Bête de sexe

Il y a dix hommes qui grattent à ma porte? Renvoyez-en un, je suis fatiguée.

MAE WEST

Une femme. – Quoi, madame, de l'amour, toujours de l'amour! Mettez au moins un intervalle! Les bêtes n'ont qu'une saison pour cela.

MME DE LA SABLIÈRE. – Oui, c'est vrai, mais justement, c'est qu'elles sont bêtes.

Bêtise

Il n'y a pas de mathématicien capable de mesurer la bêtise humaine. Elle est insondable, comme l'infini !

DANIEL DARC,
Petit bréviaire du Parisien

La bêtise ne comprend pas ; la sottise comprend de travers.

COMTESSE DIANE,
Le Livre d'or

La bêtise ouvre la bouche et ferme les oreilles.

AUGUSTA AMIEL-LAPEYRE,
Pensées sauvages

En cherchant à raccommoder une bêtise, tu allonges sa queue.

ANNE BARRATIN,
Pensées (dans *Œuvres posthumes*)

Faites des bêtises, mais faites-les avec enthousiasme !

COLETTE

Que faire si un homme est peiné d'entendre une plaisanterie sur la bêtise masculine ? Il suffit de lui dire : « Oh, ce n'est pas de vous qu'il s'agit!» La plupart des hommes sont assez bêtes pour le croire.

NAN TUCKET,
Le Livre des plaisanteries contre la bêtise masculine

Bêtise *vs* intelligence

La bêtise se met au premier rang pour être vue ; l'intelligence se met en arrière pour voir.

CARMEN SYLVA,
Les Pensées d'une reine

L'intelligence interroge et la bêtise répond.

NATALIE CLIFFORD BARNEY,
Pensées d'une Amazone

On peut distinguer un crétin d'un homme intelligent : il arrive à ce dernier de douter de soi.

DOMINIQUE ANDRÉ,
Cassandre

On n'a rien inventé de mieux que la bêtise pour se croire intelligent.

AMÉLIE NOTHOMB,
La Métaphysique des tubes

On voit beaucoup de types intelligents avec des femmes stupides, mais on ne voit presque jamais une femme intelligente avec un imbécile.

ERICA JONG

«Biendisance»

– Ah! madame, vous dites du bien de cet homme parce qu'il est votre ami...
– Non, monsieur, il est mon ami parce que j'ai du bien à en dire.

CLAIRE BOAS DE JOUVENEL

Je dis du bien de moi. Il faut bien que quelqu'un en dise.

MARGUERITE DURAS

Bienfait

Il ne faut pas regarder quel bien nous fait un ami mais seulement le désir qu'il a de nous en faire.

MADAME DE SABLÉ,
Maximes

Bikini

Le bikini : c'est une invention.
Celle qui le porte : c'est une découverte.

Cité par **CARMEN TESSIER**,
Bibliothèque rosse, II

Billet

J'ai appris un truc, tu ne peux pas payer le psy par chèque. Freud a dit, il faut que tu sentes les billets qui foutent le camp.

YASMINA REZA,
Art

Blagues

Dans *Bienvenue dans la meute*, **FLORENCE MONTREYNAUD** donne des exemples de blagues qui plaisent aux femmes féministes :
Il n'y a pas de femmes frigides. Il n'y a que des mauvaises langues.
– Quelle est la différence entre une balle de golf et le point G ?
– Bien des hommes passeront deux heures à chercher leur balle de golf.

Blondes

Les hommes préfèrent les blondes… mais ils épousent les brunes.

Titre d'un roman d'ANITA LOOS (1928)

Petits boudins, grande saucisse,
Même combat même drapeau,
Grand échalas ou courte cuisse,
La séduction ou le tombeau ;
On se met dans tous nos états
Pour émerger un peu du tas.

C'est alors qu'arrive une blonde,
En deux secondes,
Le ciel s'obscurcit.

Il suffit qu'arrive une blonde
Pour que le monde entier
Nous oublie.

ANNE SYLVESTRE, « Les blondes »

Bonheur (essence)

Le bonheur est comme l'écho : il vous répond mais il ne vient pas.

CARMEN SYLVA,
Les Pensées d'une reine

Le bonheur est une denrée merveilleuse : plus on en donne, plus on en a.

SUZANNE NECKER

Le bonheur n'est peut-être qu'un malheur mieux supporté.

MARGUERITE YOURCENAR,
Alexis ou le Traité du vain combat

Le bonheur : comme une raison que la vie se donne à elle-même.

SIMONE DE BEAUVOIR,
Les Belles Images

Je crois que le bonheur existe. La preuve en est que, soudain, il n'existe plus.

FRANÇOISE GIROUD

Le bonheur ? La panse, la danse et la science !

MARIE-RAYMOND FARRÉ,
La Longue Route des savants fous

Bonheur (recettes)

Les meilleurs conseils sur l'art d'être heureux sont aussi faciles à suivre que celui de se bien porter quand on est malade.

ANNE-SOPHIE SWETCHINE,
Pensées

❖

Nous sommes sur cette terre pour chercher le bonheur, non pour le trouver.

COLETTE

❖

Le bonheur ne vaut pas la peine qu'il coûte.

MARIE LENÉRU

❖

On ne monte pas vers le bonheur, on ne le conquiert pas. Le bonheur n'est pas un Annapurna. Il est là, tout purement, tout simplement.

RÉGINE DETAMBEL,
50 histoires fraîches

❖

Si seulement nous cessions d'essayer d'être heureux, nous gagnerions vraiment du bon temps.

EDITH WHARTON

❖

Le bonheur n'est jamais complet : c'est une éponge douce avec un côté qui gratte.

MICHÈLE BERNIER,
Le Petit Livre de Michèle Bernier

Bonnet blanc

Avec la droite, c'est amer. Avec la gauche, c'est saumâtre. C'est blanc bonnet et bonnet rose.

ARLETTE LAGUILLER,
dans un discours, vers 1990

Bon sens

Les grands seigneurs se glorifient du mérite de leurs ancêtres parce qu'ils n'en ont point d'autre ; les beaux esprits se glorifient de leur propre mérite, parce qu'ils le croient unique ; les gens de bon sens ne se glorifient de rien.

NINON DE LENCLOS

Le bon sens est de tout âge, il ne vieillit jamais, et il n'est jamais enfant.

CHRISTINE DE SUÈDE

Le bon sens est le concierge de l'esprit : sa fonction est de ne laisser entrer ni sortir les idées suspectes.

DANIEL STERN,
Esquisses morales, pensées, réflexions et maximes

Bonté

La bonté est de tous les vices celui qu'on pardonne le moins.

LUCIE PAUL-MARGUERITTE,
Paillettes

Borné

Que je dise blanc, que je dise noir, ils ne voient jamais que rouge.

ELSA TRIOLET,
Proverbes d'Elsa

❖

Comment ne pas être borné quand on a pour seule ambition d'être cadre ?

LOUISE LEBLANC,
Croque-messieurs

❖

Un esprit fermé est un esprit en voie de disparition.

EDNA FERBER

Bouffons

C'étaient les rois jadis qui avaient des bouffons ; aujourd'hui, ce sont les peuples.

DELPHINE DE GIRARDIN

Boussole

La boussole, elle est con : elle indique le nord alors que tout le monde préfère le sud.

MICHÈLE BERNIER,
Le Petit Livre de Michèle Bernier

Bureaucratie

Il me semble que la bureaucratie a, en France, pour unique fonction de ne rien faire et de tout empêcher. Si tel est en effet son rôle, il faut convenir qu'elle le remplit d'une façon irréprochable.

DELPHINE DE GIRARDIN

Cachet

Un journaliste. – Quel fut votre premier cachet ?
Brigitte Bardot. – Un cachet d'aspirine.

Cage

L'homme est un animal enfermé à l'extérieur de sa cage. Il s'agite hors de soi.

Régine Detambel

Calembour

Les calembours sont les traits d'esprit de la bêtise.

Comtesse Diane,
Les Glanes de la vie

Calomnie

La calomnie est comme la fausse monnaie : bien des gens qui ne voudraient pas l'avoir émise la font circuler sans scrupule.

COMTESSE DIANE,
Le Livre d'or

Il ne faut pas croire les hommes quand ils disent que la femme est menteuse : c'est une *calhomnie*.

LOUISE LEBLANC,
Croque-messieurs

Campagne

Je m'emmerde à la campagne, mais ça sent bon. À la ville aussi, d'ailleurs, je m'emmerde, mais ça ne sent pas bon.

CHRISTIANE ROCHEFORT,
Le Repos du guerrier

Caractère

L'on prouve que l'on a du caractère quand on parvient à vaincre le sien.

SUZANNE NECKER

Carrière

Une carrière a beau être très réussie, on ne peut se blottir contre elle, la nuit, en plein froid hivernal.

MARILYN MONROE

Castration

Nous sommes au point de tangence de deux civilisations où saint Paul et Karl Marx se donnent la main pour châtrer l'Occident. Le désir sera bientôt en conflit avec l'Univers entier.

MARGARET THATCHER,
interview pour *The Spectator* (1980)

Catégories

Les hommes divisent instinctivement les femmes en deux catégories : les femmes comme il faut et les femmes comme il en faut. L'ange et la bête. Diviniser la femme ou l'abaisser, c'est toujours la tenir à distance.

FRANÇOISE PARTURIER,
La Prudence de la chair

Célibataire

Un célibataire est un homme qui a raté l'occasion de rendre une femme malheureuse.

JASMINE BIRTLES

Je suis une femme de mon temps, pas stupide, indépendante. Autant dire une femme qui ne trouve pas de mec.

SHELLEY WINTERS

Pas d'homme, ça signifie seulement : un peu moins de travail à la maison.

ANÉMONE,
dans une interview

Une femme sans homme est comme un poisson sans bicyclette.

Slogan féministe, popularisé par les Américaines
Florynce Kennedy et **Gloria Steineim**

❧

Pourquoi me marier et faire le malheur d'un seul homme quand je peux rester célibataire et faire le malheur de milliers ?

Carrie P. Snow

❧

Un célibataire, c'est un gars qui n'a jamais commis la même erreur une fois.

Phyllis Diller

Célipater

Freud est le père de la psychanalyse. Elle n'a pas de mère.

Germaine Greer

Censure

La censure, comme la charité, devrait commencer par soi-même, mais, contrairement à elle, elle devrait s'y terminer.

Clare Boothe Luce

Centriste

Les centristes sont comme les mulets. Ils ne peuvent pas se reproduire, mais il y en a chaque jour davantage.

Marie-France Garaud

Cerise

La cerise sur le gâteau, c'est super, mais sur un clafoutis, c'est sans intérêt.

MICHÈLE BERNIER,
Le Petit Livre de Michèle Bernier

Certitudes

Les certitudes de l'homme sont des nouilles qui ne résistent pas à la grande passoire de l'histoire !

AGNÈS ABÉCASSIS,
Toubib or not toubib

Cerveau

Si Dieu voulait que nous pensions seulement avec nos ovaires, pourquoi nous a-t-il donné un cerveau ?

CLARA BOOTHE LUCE

Dieu a donné un cerveau et un sexe aux hommes, mais pas assez de sang pour irriguer les deux.

Conversation entre femmes sur Internet

Le cerveau de l'homme a deux hémisphères : la couille gauche et la couille droite.

AGNÈS SORAL,
Agnès Soral aimerait bien vous y voir

J'avais entendu parler du *cerveau reptilien*, celui qui fait s'agiter le reptile à la vue d'un décolleté, je constate l'existence du *cerveau dindonien*, celui qui fait s'agiter la futile à la vue d'une célébrité.

AGNÈS ABÉCASSIS,
Chouette, une ride !

Chagrin

Sur trois personnes à qui nous contons notre chagrin, nous en ennuyons deux et nous faisons plaisir à la troisième.

CLAUDIA BACHI,
Coups d'éventail

❖

Celle qui reconnaît qu'un chagrin d'amour l'enlaidit est déjà à moitié guérie.

MARCELLE AUCLAIR,
L'Amour

Changement

Le changement, c'est ce qui repose de l'habitude.

COMTESSE DIANE,
Le Livre d'or

❖

Le seul moment où une femme réussit à changer un homme, c'est quand il est bébé.

NATALIE WOOD

❖

Les femmes peuvent tout changer, mais elles ne le veulent pas :
c'est si agréable de faire faire le travail aux hommes.

ESTHER VILAR,
L'Homme subjugué

Une fille. – Ah ! tu veux faire évoluer les traditions ?
Un garçon. – Oui ! je le veux !
La fille. – Eh bien ! apporte ce plat dans la cuisine !

LISA AZUELOS,
Comme t'y es belle !

Changement de sexe

Pairemutation : changement de sexe. « Depuis sa *pairemuta-tion*, Robert peut enfin mettre des strings et des soutiens-gorge pigeonnants et se faire appeler Micheline, elle est ravie ! »

ANNE DE BARTILLAT,
Le Fauxcabulaire

Chanteurs engagés

Aux chanteurs engagés, qui pensent à gauche et vivent à droite,
je préfère les « dégagés ».

ARLETTY,
Les Mots d'Arletty

Chats

J'ai découvert pourquoi les chats boivent dans la cuvette des W-C. Ma mère m'a dit que c'est parce que l'eau y est fraîche. Et là je me dis, comment ma mère sait ça ?!

WENDY LIEBMAN

Un homme, c'est comme un chat : poursuivez-le et il s'enfuira, restez tranquille et ignorez-le, il viendra alors ronronner à vos pieds.

HELEN ROWLAND,
A Guide to Men

✤

Saint François faisait des sermons aux oiseaux, n'est-ce pas ? Dans quel but ? S'il aimait vraiment les oiseaux, il aurait dû sermonner les chats.

REBECCA WEST

✤

On ne possède pas un chat, c'est lui qui vous possède.

FRANÇOISE GIROUD,
Journal d'une Parisienne

Chèque

Les deux plus beaux mots de la langue anglaise sont *check enclosed* (chèque joint).

DOROTHY PARKER

✤

Dans cette vallée de larmes, le mieux est encore de se moucher dans un chèque.

GENEVIÈVE DORMANN

Chiens

Un chien, un chat, c'est un cœur avec du poil autour.

BRIGITTE BARDOT,
déclaration à la télévision, en 1991

❖

Mon mari et moi, nous avons fini par désirer le doux son de petits pieds sur le plancher, alors nous avons acheté un chien. C'est moins coûteux et il y a plus de pieds.

RITA RUDNER

Chirurgie esthétique

La chirurgie esthétique? Certains espèrent qu'en se faisant remonter la peau ils vont, en même temps, se remonter le moral!

FRANÇOISE DORIN,
Vous avez quel âge?

Chocolat

Un jour, j'ai lu sur une tablette de chocolat: «Ce chocolat vous fera vibrer de désir et fondre de plaisir.» Ils veulent faire croire que si vous mangez du chocolat vous aurez un orgasme. C'est pas vrai, c'est quand on n'a pas d'orgasme qu'on se gave de chocolat.

ANNE ROUMANOFF,
sketch «Le supermarché»

Choix

– Vaut-il mieux être aimé qu'aimer ?
– Il vaut mieux aimer, ainsi, on peut choisir !

COMTESSE CLAUZEL,
propos rapporté par Léon Treich,
Histoires diplomatiques

Clergé

Ce que femme veut, Dieu le veut peut-être ; mais ses représentants ne semblent pas souvent d'accord avec lui.

LOUISE LEBLANC,
Croque-messieurs

Aujourd'hui, il n'y a plus que les prêtres qui veulent se marier

LOUISE DE VILMORIN,
propos rapporté par Marthe Bibesco

Cochon

– Pourquoi marche-t-il, le cochon,
Si fier à travers la prairie ?
– C'est qu'à lui tout seul, des pieds au front,
Il est une charcuterie.

LUCIE DELARUE-MARDRUS,
Poèmes mignons pour les enfants.

Qui c'est qu'est bon ? c'est le cochon.
C'est bon.
Je pourrais dire bien des choses

Sur son talent.
Il a la couleur des roses
Sans leur piquant
Et puis quand on a terminé
Les bons morceaux,
Reste de quoi faire des souliers
Et des pinceaux.
... Et ça c'est beau!

JULIETTE,
«Tout est bon dans le cochon»

Cœur

L'esprit cherche et c'est le cœur qui trouve.

GEORGE SAND

⚜

Le cœur est un muscle involontaire.

Titre d'un roman de **MONIQUE PROULX**

Colère

Il ne faut pas se mettre en colère contre les choses : cela ne leur
fait absolument rien.

GERMAINE DE STAËL

Colères d'amants

Les colères des amants sont comme les orages d'été, qui ne font
que rendre la campagne plus verte et plus belle.

SUZANNE NECKER

Comique de femme

Dans un théâtre, les seuls que je n'ai pas réussi à faire rire, ce sont les fauteuils!

JACQUELINE MAILLAN

Mieux vaut être drôle que belle, au moins ça ne passe pas avec l'âge.

SANDRA BULLOCK,
interview à *Instyle*, août 2010

Commencement

On se moque des enfants qui justifient leurs mauvais coups par ce gémissement: «C'est lui qui a commencé!» Or, aucun conflit adulte ne trouve sa genèse ailleurs.

AMÉLIE NOTHOMB,
Le Sabotage amoureux

Commérages

Les hommes ont toujours détesté les commérages des femmes, parce qu'ils soupçonnent la vérité: il y est question de leurs mensurations et on les compare.

ERICA JONG

CARMEN TESSIER tint, dans *France-Soir,* une chronique de la vie parisienne, intitulée «Les potins de la Commère». Elle aimait citer l'épitaphe que son ami Alexandre Breffort avait composée pour elle, en parodiant deux vers célèbres de Malherbe:

« Et rosse, elle a vécu ce que vivent les rosses, l'espace d'un potin. »
L'anagramme de son patronyme donnait : « Être sans merci ».

Comparaisons

Lorsque l'ivresse de l'amour est passée, on rit souvent des comparaisons qu'elle nous a fait faire.

NINON DE LENCLOS

Les écrivains qui n'ont rien à dire s'efforcent toujours de l'exprimer avec des métaphores.

FLORENCE KING

Compensation

Michel Blanc joue du piano comme un virtuose. A-t-il développé ce don pour pallier un manque évident de séduction physique, un peu comme Sim ou Jean Lefebvre, qui auraient développé le sens de l'humour en réaction contre leur physique ingrat ? ou comme Lova Moor qui a développé ses seins pour pallier une absence totale de matière grise ?

LAURENCE BOCCOLINI,
Je n'ai rien contre vous personnellement

Complication

C'était un très vieux magicien,
Qui sortait de son couvre-chef
Des facteurs, des politiciens,
Des employés SNCF,
Des aviateurs, des amoureux,

Des contractuels, des curés,
Des vigoureux, des souffreteux,
Enfin toute une humanité.
Sa femm' disait: « Tu sais, Dédé
– Car son surnom c'était Dédé –,
C'est pas croyabl' comm' tu compliques,
Comme il faut qu'tu fass' ton malin,
Quand on a un chapeau magique,
Eh ben, on fait sortir un lapin!

JULIETTE,
«Lapins!», disque *Bijoux et babioles*

Compliment

Un compliment: un mensonge habillé de velours.

ANNE BARRATIN,
De vous à moi

Les compliments ne font que confirmer ce que nous pensons de nous-mêmes.

ANNE BARRATIN,
ibid.

Quand les gens font des compliments, ils s'arrangent toujours pour laisser place à l'éloge qu'ils désirent eux-mêmes recevoir.

VIRGINIA WOOLF

Le désir est un compliment. On ne va pas s'éterniser à phraser autour.

JOVETTE BERNIER,
Non monsieur

Napoléon complimenta la maréchale Lefebvre (modèle de la *Madame Sans-Gêne* de Victorien Sardou), un jour qu'elle était parée de superbes bijoux :
Napoléon. – Comme vous êtes belle, madame la duchesse !
La maréchale. – Oh, Sire, comme Votre Majesté est grande !

Comprendre

Épuisant, le verbe de Malraux était inépuisable. Il n'était pas obscur, puisqu'il donnait l'illusion de le comprendre. C'est après qu'on se demandait : «Mais qu'est-ce qu'il a dit ?»

FRANÇOISE GIROUD,
Leçons particulières

Il y aura toujours dans la foule un crétin qui, sous prétexte qu'il ne comprend pas, décrétera qu'il n'y a rien à comprendre.

AMÉLIE NOTHOMB,
Péplum

Comptable

Le malheur de l'homme est qu'il a une âme de comptable.

ZOÉ OLDENBOURG,
La Joie-Souffrance

Compter

Ne compte pas chaque heure de la journée, fais en sorte que chaque heure compte.

CATHY LADMAN

Con

« J'ai gardé une âme d'enfant »... Si on a été un enfant con, je ne vois pas l'intérêt. Moi, je n'ai rien gardé, il y avait tout à jeter.

MARIA PACÔME,
L'Éloge de ma paresse

❦

J'adore vieillir. Pour rien au monde, je ne voudrais revenir en arrière. C'est tellement mieux, on est moins con...

MURIEL ROBIN

❦

On est con quand on est amoureux ! Je ne sais pas vous, mais moi, je m'en coincerais les ovaires dans la porte !

MARIANNE SERGENT,
La France, ta fierté fout l'camp !

❦

« Concurrence », « conquête », « contrôle », « conservatisme »... Il est intéressant de noter que les mots qui désignent les valeurs masculines commencent très souvent par le préfixe « con ».

LOUISE LEBLANC,
Croque-messieurs

❦

99 % des gens sont cons. Vous avez vos chances. Gardez-les mais ne les ruinez pas. Être con est salutaire. Avoir l'air con est rédhibitoire. Soyez assez intelligents pour saisir la nuance.

SYLVIE CASTER,
dans *Charlie Hebdo*, septembre 1977

Il y a des gens très cons qui ont réussi à faire croire qu'ils étaient intelligents, et les plus cons les croient !

MICHÈLE BERNIER,
Le Petit Livre de Michèle Bernier

Le mot « con », employé fréquemment par les méridionaux, est une sorte de « ponctuation » enjouée, célébrée par **JULIETTE** dans sa « Chanson, con ! » (disque *Bijoux et babioles*) :
Ce n'est pas un gros mot
C'est un léger accroc
Point d'interrogation
Ou point de suspension
Deux consonnes une voyelle
C'est un péché véniel
Un peu oui, un peu non
Une promesse de Gascon, con !

« Il n'y a plus rien à comprendre de la France si vous ne vous convainquez pas que les Français sont des cons, dirigés par des cons », me disent des interlocuteurs décorés, agrégés, respectés et dont je comprends qu'ils s'excluent eux-mêmes de leur généralisation définitive. Pas étonnant que le film *Le Dîner de*

cons, pur produit de l'imaginaire français, ait recueilli ce succès monstre.

DENISE BOMBARDIER,
Lettre ouverte aux Français qui se croient le nombril du monde

Conception

Les enfants ? Je préfère en commencer cent que d'en finir un.

PAULINE BONAPARTE

Ô Marie, conçue sans péché, faites que je pèche sans concevoir.

Prière personnelle de la comédienne
AUGUSTINE BROHAN

Condition féminine

La condition féminine, c'était, si je puis dire, un ministère de mission horizontale.

FRANÇOISE GIROUD,
Bulletin d'information du secrétariat à la Culture, n° 95

Conduite

Quand je me conduis bien, je suis très bien, mais quand je me conduis mal, je suis encore mieux.

MAE WEST,
I'm no Angel (1933)

Conférence

Dans une causerie, épuiser son sujet, c'est épuiser aussi... la patience de son interlocuteur.

AUGUSTA AMIEL-LAPEYRE,
Pensées sauvages

❖

Pour faire une bonne conférence, il faut des idées et une montre.

BÉATRIX DUSSANE

Confession

Certaines femmes ont plus de honte de confesser une chose que de la faire.

MARGUERITE DE NAVARRE,
L'Heptaméron

❖

Un confesseur du XVIIᵉ siècle demande son nom à une pénitente : « Mon père, mon nom n'est pas un péché ! »

❖

Il y a des péchés si flatteurs que, si on les confessait, on en commettrait un autre d'orgueil.

SOPHIE ARNOULD

❖

La confession est l'arrière-goût très parfumé du péché.

MARIE VALYÈRE,
Nuances morales

Confiance

La confiance, d'accord, mais c'est quand même ce qui fait les cocus!

JOVETTE BERNIER,
Non monsieur

Confraternité

La chroniqueuse **CARMEN TESSIER**, spécialiste redoutée du potin mondain, popularisa la formule «mon confrère et néanmoins ami». Elle définissait la «confraternité» comme «une haine vigilante»!

Conjugaison

Même si je conjugue ma vie à tous les temps, sur tous les modes, manquera toujours le mode d'emploi.

FLORA BALZANO,
Soigne ta chute

Connerie

Ce qui empêche les gens de vivre ensemble, c'est leur connerie, pas leurs différences.

ANNA GAVALDA,
dans une interview, à l'occasion de la Journée de la femme

Ah! oui, elle est belle, elle est comestible par le ton, par le timbre, la bonne voix. Mais cette poule-là, elle est jamais seule, elle est avec sa connerie, elles sont toujours deux. Si vous l'invitez, mettez un couvert de plus!

ARLETTY,
Les Mots d'Arletty

MARIELLE GOITSCHEL, championne olympique de ski en 1964, fut ainsi accueillie dans une réception à l'étranger :
L'ambassadrice. – Vous n'êtes pas venue avec vos skis ?
Marielle. – Non, mais vous, par contre, vous n'avez pas oublié votre connerie.

Consciences

Il y a des consciences comme des bovidés, certains tirent la charrue, d'autres luttent dans les arènes.

ANDRÉE MAILLET,
Profil de l'orignal

Conseils

Celui qui demande un conseil est parfois supérieur à celui qui peut le donner.

ERICA JONG

Aucun vice n'est pire qu'un conseil (*No vice is so bad as advice*).

MARIE DRESSLER

Un conseil, c'est ce que nous demandons quand nous connaissons la réponse, mais en espérant être démenti.

ERICA JONG

Il faut continuer à admirer l'homme et à lui demander son avis, conseil ou secours. C'est ainsi que se réveillent à point nommé Don Quichotte, Ivanhoé et Mathurin-Popeye, autant de héros qui sommeillent en permanence dans le cœur des hommes mais qu'un féminisme abusif pourrait réduire au chômage...

ANNE-MARIE CARRIÈRE,
Dictionnaire des hommes

Conseil matrimonial

À chaque fois que vous voulez épouser un homme, allez donc déjeuner avec son ex-épouse.

SHELLEY WINTERS

Consolation

Entreprendre de consoler quelqu'un qui veut être inconsolable, c'est lui disputer la seule consolation qui lui reste.

MARIE DU DEFFAND

Que de gens se consolent du malheur des autres par la joie de l'avoir prédit.

COMTESSE DIANE,
Les Glanes de la vie

À quoi de mieux peut servir une femme qu'à accueillir au plus chaud d'elle-même un ancien bébé qui a un peu froid ?

GENEVIÈVE DORMANN,
Le Bateau du courrier

Constance

Ce n'est pas la constance qui fait défaut! Ce sont les gens capables de l'inspirer qui manquent.

DANIEL DARC,
Sagesse de poche

Contact

Qui accepte de se frotter aux renards pouilleux consent déjà à se gratter.

ANTONINE MAILLET,
Crache à pic

Contentement

L'imbécile se contente de peu et d'abord de lui-même.

DOMINIQUE ANDRÉ,
Cassandre

Nul n'est content de sa fortune
Ni mécontent de son esprit.

ANTOINETTE DESHOULIÈRES,
Réflexions diverses

Contraception

Mon meilleur moyen contraceptif est, simplement, de laisser la lumière allumée.

JOAN RIVERS

Les renardes, au moins, ont la contraception intégrée ; les années de famine, elles n'enfantent pas. Nous, au contraire, nous sommes une espèce pullulante. Comme les muridés, les rats, les musaraignes.

ANÉMONE,
citée dans *Drôles de femmes*
(Julie Birmant et Catherine Meurisse)

Contredire

Contredire, c'est souvent frapper à la porte pour savoir s'il y a quelqu'un à la maison.

DELPHINE DE GIRARDIN

Qui parle « contre » n'a rien à dire. Pourquoi démolir, lorsqu'on peut surpasser ? On se limite à ce qu'on attaque.

NATALIE CLIFFORD BARNEY,
Pensées d'une Amazone

Conversation

Nous faisons quelquefois des conversations d'une tristesse qu'il semble qu'il n'y ait plus qu'à nous enterrer.

MARQUISE DE SÉVIGNÉ

Les allusions sont les lettres anonymes de la conversation.

MADAME DE RÉMUSAT

La conversation des femmes, dans la société, ressemble à ce duvet dont on se sert pour emballer les porcelaines : ce n'est rien, et sans lui tout se brise.

CONSTANCE DE SALM-DYCK,
Pensées

«Ma chère, prenez ce fauteuil et parlez-moi de vous... Comment trouvez-vous ma robe ?»

LUCIE PAUL-MARGUERITTE,
Paillettes

Je ne déteste pas ces gens prolixes, capables à eux seuls de mener une conversation et qui vous épargnent la peine d'y prendre part.

GENEVIÈVE DORMANN,
La Fanfaronne

L'ennui avec les gens qui n'ont pas grand-chose à dire, c'est qu'il faut les écouter longtemps avant de s'en apercevoir.

ANN LANDERS

C'est très amusant d'entendre raconter une histoire par des gens qui ne la connaissent pas.

VÉRA DE TALLEYRAND-PÉRIGORD

Coquette

Au sujet d'une coquette qui avait fini par se marier :
Une dame. – Elle aimait de tous les côtés ! Une véritable girouette !
Sophie Arnould. – Et, comme une girouette, quand elle est rouillée, elle se fixe !

⚜

Les hommes appellent coquette la femme qui leur plaît, s'ils ne peuvent réussir à lui plaire

Madeleine de Puisieux

Cornes

La destinée de cet homme est singulière : dans sa jeunesse, il a eu la corne d'abondance, et, dans sa vieillesse, il a l'abondance des cornes.

Sophie Arnould

⚜

Les cornes [du cocuage], c'est comme les dents. Quand elles poussent, ça fait très mal ; mais une fois poussées, on mange avec.

Anne-Marie de Cornuel

⚜

Il y a des gens qui ont des cornes de taureau pour se défendre ; il y en a d'autres qui n'ont que des cornes de colimaçon.

Carmen Sylva,
Les Pensées d'une reine

Corps

D'une dame qui avait une dentition détériorée, la **MARQUISE DE SÉVIGNÉ** disait:
«Ses dents puent aux yeux avant d'empoisonner le nez.»

Après son amputation, à un directeur de cirque américain qui lui proposait d'acheter très cher le droit d'exposer sa jambe, **SARAH BERNHARDT** rétorqua: «Laquelle?»

Faites la fête avec tout votre corps, avec tout votre être. Et tant pis si vous y laissez quelques plumes. Ça repousse!
MARGARET THATCHER,
citée par *The Spectator* (1980)

Passé trente ans, le corps n'en fait qu'à sa tête.
BETTE MIDLER

Le corps, si tu ne le travailles pas, c'est lui qui te travaille.
NOËLLE PERNA,
Mado la Niçoise

Le corps a ses raisons que le cœur a tort d'ignorer.
LUCIE PAUL-MARGUERITTE,
L'Amour en flèches

Coup de main

Mon fils, si tu as besoin d'un coup de main dans la vie, n'oublie pas de regarder au bout de tes deux bras!

ANDRÉE MAILLET

Couple

Le couple, c'est un bras de fer dans un gant d'amour.

AGNÈS ABÉCASSIS,
Au secours, il veut m'épouser!

La femme veut toujours changer l'homme. L'homme veut toujours changer de femme.

ANNE ROUMANOFF,
Couple, petits soucis et gros problèmes

J'ai mis un moment à réaliser qu'on nous avait cambriolés. Je croyais que c'était mon mari qui avait cherché des chaussettes propres.

PATRICIA M. CARLSON

Quand, dans un couple, l'un des deux entreprend de dire « ses quatre vérités » à l'autre, on peut bien s'attendre à ce qu'il dépasse largement le compte.

DOMINIQUE LE BOURG,
L'Art d'être aimée

À Hollywood, tous les mariages sont heureux. C'est d'essayer de vivre ensemble après qui est source de tous les problèmes.

SHELLEY WINTERS

Cour

La cour est un pays où les joies sont visibles mais fausses, et les chagrins cachés mais réels.

FRANÇOISE CHANDERNAGOR,
L'Allée du Roi

Courbe

La courbe est la ligne la plus jolie d'un point à un autre.

MAE WEST

Cours du soir

Si j'en sais autant sur les hommes, c'est que j'ai suivi des cours du soir.

MAE WEST

Course

Je cours... lorsque j'y suis obligée. Quand le marchand de glaces va à 60 km/h.

WENDY LIEBMAN

Courtoisie

La courtoisie est l'art de faire croire à chacun qu'on le préfère à tous.

MADAME QUINET

Cravate

Peut-être la cravate est-elle le modèle pour adulte du bavoir ?

CHRISTIANE ROCHEFORT,
Printemps au parking

Crayon

Écrire au crayon, c'est comme parler à voix basse.

ANNE-SOPHIE SWETCHINE,
Pensées

Crédulité

On est crédule quand on aime. On ne veut rien apprendre qui dérange l'idée magnifique que l'on se fait de l'autre. De l'autre qu'on repeint toujours en doré... C'est l'amour qui veut ça.

KATHERINE PANCOL,
Embrassez-moi

Cristallisation amoureuse

L'amour, écrit Stendhal, se forme par cristallisation. Pour certains cœurs prompts à s'attendrir, c'est *caramélisation* qu'il faudrait dire.

MARCELLE AUCLAIR,
L'Amour

Critique

Il porta un jugement définitif sur le dernier livre paru... puis, il le lut.

LUCIE PAUL-MARGUERITTE,
Paillettes

Plus tu critiques les gens, moins tu as de temps pour les aimer !

MÈRE TERESA

Pour ma pièce *Le Clan des veuves*, aucun critique ne s'est déplacé, seule leur attitude l'est.

GINETTE GARCIN,
interview au *Hérisson* (1991)

Une mauvaise critique, c'est comme fabriquer un gâteau avec les meilleurs ingrédients et voir quelqu'un s'asseoir dessus.

DANIELLE STEEL

Critique musicale

La vicomtesse de Trédern a chanté *Ève* de son mieux. Ce mieux est l'ennemi du bien.

COLETTE,
Au concert

Mlle Dangès vocalise un si déplorable « air des Huguenots » qu'elle ferme les yeux tout le temps, pour ne pas voir ce qu'elle chante.

COLETTE,
Au concert

Un concours d'instruments à vent : ce piston avantageux, content de lui à la manière d'un coq de village ; les grâces pataudes de ce trombone, rêveur comme un notaire qui a trop bien dîné... Non, non, non !

COLETTE,
Au concert

Croire

– Penses-tu qu'on peut vivre sans croire ?
– Oui, à condition de vivre pour quelqu'un.

ALICE PARIZEAU,
Rue Sherbrooke Ouest

Les croyances religieuses sont comme les vieilles dévotes : cela branle, mais cela tient.

LOUISE ACKERMANN,
Pensées d'une solitaire

Croissance

Moi, je ne fais pas confiance au président Sarkozy pour relancer la croissance. Quelqu'un qui n'a pas réussi la sienne...

ANNE ROUMANOFF,
On ne nous dit pas tout

Cuisine

Mon mari dit qu'il veut passer ses vacances dans un endroit où il n'est jamais allé. J'ai répondu : « Et pourquoi pas la cuisine ? »

NAN TUCKET,
Le Livre des plaisanteries contre la bêtise masculine

Une femme qui fait la cuisine, c'est son boulot. Un homme qui cuisine un plat, c'est un héros.

ANNE ROUMANOFF

Cuisine suisse

La cuisine suisse n'a pas de nerf. On dirait qu'elle reste là à vous attendre; les biftecks même sont humbles. Les asperges sont toujours mortes. Quant à la purée de pommes de terre, on a envie de l'appeler « ma tante ».

KATHERINE MANSFIELD,
Correspondance (mai 1921)

Curiosité

Ma fille pense que je suis curieuse. Enfin, si j'en crois ce qu'elle écrit dans son journal intime !

SALLY POPLIN

Cynisme

Cynisme : ce que les Français appellent leur lucidité et qu'ils dénoncent, chez leur femme, sous le nom de dévergondage.

MICHELINE SANDREL,
Dictionnaire de ces sacrés Français

Marie-France Garaud est cynique, totalement cynique; de sorte qu'en face d'elle quiconque nourrit le moindre idéal a le sentiment d'être le docteur Schweitzer.

FRANÇOISE GIROUD,
citée par Jérôme Duhamel, *Le Grand Méchant Bêtisier*

Décalage

Quand il est 3 heures à New-York, il est 1938 à Londres.

BETTE MIDLER

Décolleté

La femme moderne a ouvert si bas son corsage que son cœur s'est échappé.

AUGUSTA AMIEL-LAPEYRE,
Pensées sauvages

Défauts

Nous vivons avec nos défauts comme avec les odeurs que nous portons ; nous ne les sentons plus, elles n'incommodent que les autres.

MADAME DE LAMBERT

❖

Il n'y a d'insupportables dans les défauts des autres que ceux que nous rencontrons en nous-mêmes.

ANNE-SOPHIE SWETCHINE,
Pensées

⚜

Souvent deux amants s'éprennent l'un de l'autre pour des qualités qu'ils n'ont pas, et se quittent pour des défauts qu'ils n'ont pas davantage.

DANIEL STERN,
Esquisses morales, pensées, réflexions et maximes

⚜

Le pire des défauts est de vouloir imposer ses qualités.

MARIE VALYÈRE,
Nuances morales

⚜

Nos défauts sont parfois les meilleurs adversaires que nous opposions à nos vices.

MARGUERITE YOURCENAR,
Alexis ou le Traité du vain combat

⚜

– Quel est le défaut qui vous attire le plus ?
– Le défaut de la cuirasse.

COMTESSE DIANE,
Les Glanes de la vie

⚜

En amour, on plaît plutôt par d'agréables défauts que par des qualités essentielles. Les grandes vertus sont des pièces d'or dont on fait moins usage que de la monnaie.

NINON DE LENCLOS

Défauts des femmes

Les défauts des femmes ont été donnés par la nature pour exercer les qualités des hommes.

SUZANNE NECKER,
Mélanges

L'homme s'emporte en invectives contre les travers de la femme. Mais que, d'aventure, il en rencontre une parfaite, il lui tourne le dos.

DANIEL DARC,
Sagesse de poche

Défauts des hommes

Les hommes s'attachent à la conformation, à l'attitude : « trente-six positions » ; mais hélas ! non pas trente-six sensations nouvelles !

NATALIE CLIFFORD BARNEY,
Nouvelles pensées de l'Amazone

Demandez l'programme

Vous avez demandé l'programme,
Messieurs et Mesdames,
Savez-vous pourquoi on s'l'arrache ?
C'est pour faire une bonn' protection

Contre la pluie de postillons
Que je vais semer à tout vent,
Notamment sur les premiers rangs.

JULIETTE,
« Moi j'me tache », disque *Assassins sans couteaux,* 1998

Démocratie

Le despotisme soumet une nation à un seul tyran, la démocratie
à plusieurs.

MARGUERITE DE BLESSINGTON,
Pensées décousues

Les défauts de l'armure égalitariste de l'Amérique ne sont pas
difficiles à trouver. La démocratie est la feuille de vigne de
l'élitisme.

FLORENCE KING

Dent dure

Il a la dent dure – et fausse.

NATALIE CLIFFORD BARNEY,
Pensées d'une Amazone

Dentelle

Il est difficile de comprendre pourquoi la dentelle est si chère ;
ce sont surtout des trous !

MARIE WILSON LITTLE,
A Paragrapher's Reveries

Dépensières

«Les femmes sont dépensières» : c'est ce qu'on dit quand une femme s'achète un maillot de bain. Un homme qui s'achète une Porsche assouvit une passion, faut pas confondre!

ISABELLE ALONSO,
Et encore, je m'retiens!

Désabusée

Elle était revenue de bien des choses, ce qui ne l'empêchait pas d'y retourner.

NATALIE CLIFFORD BARNEY,
Pensées d'une Amazone

Désillusion

Les gens croient poursuivre les étoiles et ils finissent comme des poissons rouges dans un bocal.

MURIEL BARBERY,
L'Élégance du hérisson

Mieux vaut perdre ses illusions de bonne heure, on a ainsi plus de temps pour les retrouver.

MARCELLE AUCLAIR,
L'Amour

Détour

On loue quelquefois les choses passées pour blâmer les présentes, et pour mépriser ce qui est, on estime ce qui n'est plus

MADAME DE SABLÉ,
Maximes

Pour les diplomates comme pour les femmes, dire ce qu'on ne veut pas est encore le meilleur moyen de faire savoir ce qu'on veut.

DELPHINE DE GIRARDIN

Il n'y a qu'un moyen de faire un bel éloge d'une femme, c'est de dire beaucoup de mal de sa rivale.

DELPHINE DE GIRARDIN

Deuil

On a toujours assez de philosophie pour supporter la mort d'un parent riche.

CLAUDIA BACHI,
Coups d'éventail

Une femme. – Comment? vous êtes donc toujours en deuil?
MADELEINE BROHAN. – Mais oui... j'ai perdu ma pauvre mère.
La femme. – Mais il y a longtemps déjà! Pourquoi portez-vous encore du crêpe noir?
Madeleine Brohan. – C'est qu'elle est toujours morte.

Déveine

J'ai pas de chance
Avec les hommes.
Quand ils arrivent dans ma vie,
Ils sont toujours sains d'esprit,
Mais au bout d'un petit moment
Ils sont fêlés complètement.
J'ai pas de chance

Avec les hommes,
Mais qu'est-ce que j'ai ?
Je comprends pas
Pourquoi
On en arrive toujours là.

BARBARA,
«Lucy»

Devoir

Quand on fait ce qu'on peut, on fait ce qu'on doit.

MADELEINE DE SCUDÉRY

Dévotion

La dévotion chez certaines natures se borne à croire à l'enfer pour autrui.

CLAUDIA BACHI,
Feuilles au vent

Dieu (essence)

On voit bien, à la façon qu'il nous a traitées, que Dieu est un homme.

CLAUDINE DE TENCIN,
Mémoires

Je ne vois pas assez Dieu pour l'aimer au-dessus de toutes choses et vois beaucoup trop mon prochain pour l'aimer comme moi-même.

MARQUISE DE CRÉQUI

« Qu'est-ce que Dieu ? Dieu est un pur esprit infiniment parfait » [...]. Je retournais la phrase [apprise au catéchisme] dans tous les sens, cherchant par quel bout la prendre ; et je n'y arrivais pas. Blanc, lisse et fermé comme un œuf, le Pur Esprit Infiniment Parfait restait là dans ma tête, je m'endormis avec sans avoir pu le casser.

CHRISTIANE ROCHEFORT,
Les Petits Enfants du siècle

❦

Je m'étonne qu'aucun surréaliste n'ait peint Dieu jouant au bilboquet avec la Terre sur un phallus.

FRANÇOISE PARTURIER,
Lettre ouverte aux hommes

❦

Dieu, à l'évidence, ne peut pas être une femme. Comment une femme aurait-elle pu créer un mâle aussi imparfait ?

JILL CONSIDINE

Dieu (existence de)

Ô mon Dieu ! Existe, je t'en prie !

FRÉDÉRIQUE HÉBRARD,
La Chambre de Goethe

❦

Si Dieu existe, je ne voudrais point être à sa place. Ne pas pouvoir cesser d'être, quel supplice !

LOUISE ACKERMANN,
Pensées d'une solitaire

❦

Quand on veut affirmer quelque chose, on appelle toujours Dieu à témoin, parce qu'il ne contredit pas.

CARMEN SYLVA,
Les Pensées d'une reine

❧

C'est bien simple, si Dieu existe, je serai la première à en être informée.

ANNA DE NOAILLES

❧

Dieu. Il n'est pas étonnant que ses adorateurs lui restent fidèles ; ils ne le voient jamais.

NATALIE CLIFFORD BARNEY,
Pensées d'une Amazone

❧

Dieu à la rescousse pour mieux garantir la différence des sexes, ce Dieu que les misogynes mettent toujours dans leur camp...

BENOÎTE GROULT,
Le Féminisme au masculin

Dieu (statut)

Dans les religions, Dieu est le chef de l'homme et l'homme est le chef de la femme.

SOPHIA ARAM,
Crise de foi

Différence d'âge

Des galopins qui sentent encore le lait n'ont pas à se blottir dans les bras des dames qui sentent le scotch.

FRANÇOISE SAGAN,
Le Garde du cœur

Différer

Ne jamais remettre à demain
Ce qu'on peut faire la s'maine prochaine.

AGNÈS BIHL,
« Méchante »

Discrétion

Demander à un amant d'être discret, c'est demander à un coq de ne pas chanter au lever du soleil.

ANNE-MARIE CARRIÈRE,
Dictionnaire des hommes

Dispute

Mes parents n'ont eu qu'une dispute en quarante-cinq ans. Elle a duré quarante-trois ans.

CATHY LADMAN

Distinguo

[Montesquieu,] ce n'est pas l'Esprit des lois, c'est de l'esprit sur les lois.

MARIE DU DEFFAND

La femme règne et ne gouverne pas.

DELPHINE DE GIRARDIN,
Lettres parisiennes

❧

Beaucoup d'hommes se défont, peu d'hommes meurent.

MARGUERITE YOURCENAR,
L'Œuvre au noir

❧

On est toujours amoureux *à cause*, mais on aime *malgré*.

FRANÇOISE GIROUD,
L'Amour, madame, film de Gilles Grangier (1952)

❧

Principe machiste : seuls les hommes attrapent la grippe, les femmes n'ont que des rhumes.

FAITH HINES,
La Loi de Madame Murphy

❧

Un homme fait ce distinguo : « Je l'ignorais pas, j'avais oublié que je le savais. »

MARIANNE MAURY-KAUFMANN

❧

Il ne faut pas confondre... L'emmerdeuse, c'est celle qui commande un café et qui rappelle le garçon pour prendre un Perrier. L'emmerdante, c'est celle qui cuisine pendant des heures pour vous mitonner un dîner mais qui vous présente l'addition pendant quinze jours. L'emmerdeuse, c'est du champagne. L'emmerdante, c'est de la camomille.

CLAUDE SARRAUTE

Divertissement

Les femmes préfèrent qu'on les divertisse sans les aimer, plutôt que de les aimer sans les divertir.

MADAME DE RIEUX,
Pensées

Divorce

Un divorce à New York est, en lui-même, un diplôme de vertu.

EDITH WHARTON

Ma mère m'a toujours dit : « Ne te marie pas pour l'argent, mais divorce pour l'argent ! »

WENDY LIEBMAN

Tel que je le connais, il ne perdra pas dix minutes de son précieux temps à demander le divorce. Même pour épouser Sophie Marceau ou Catherine Deneuve.

NICOLE DE BURON,
Docteur, puis-je vous voir... avant six mois ?

Un drame, le divorce ? Allons donc !... Pour bien divorcer, aujourd'hui, c'est facile, il suffit de s'adorer !

FRANÇOISE CHANDERNAGOR,
La Première Épouse

❖

À chaque fois que je sors avec un gars, je me demande : « Est-ce l'homme avec lequel je veux que mes enfants passent leurs week-ends ? »

RITA RUDNER

Dix-huitième siècle

Je me serais bien plu sous Louis le quinzième
Même quand on savait le déluge imminent,
Que c'était bon de vivre au siècle intelligent
Quand la France avait de l'esprit
Jusqu'au bout des seins de la Du Barry.

ANNE-MARIE CARRIÈRE,
Poèmes à rire et à sourire, « La Du Barry »

Douleur

Nous sentons plus notre mal de dents que le martyre de Jeanne d'Arc.

MARGUERITE GRÉPON,
Lotissement-journal

Doute

Il faut douter de tout, même de ses soupçons.

CHRISTINE DE SUÈDE,
Maximes et pensées

Droits de la femme

Déclaration des droits de la femme :
Article 1 : La femme est l'égale de l'homme.
Article 2 : En théorie. [...]
Article 4 : La femme a le droit de vieillir mais elle n'a pas le droit de prendre des rides. [...]
Article 10 : La galanterie est désormais autorisée aux femmes. Elles peuvent s'effacer devant un homme, lui laisser prendre le seul taxi, lui ouvrir la portière et payer l'addition au restaurant.

SYLVIE CASTER,
dans *Charlie Hebdo*, 29 septembre 1977

Une femme qui se croit intelligente réclame les mêmes droits que l'homme. Une femme intelligente y renonce.

COLETTE

Droit de vote

Il nous est tombé sur la tête
Le droit de vote, un beau matin,
Et les hommes ont trouvé bête
De nous entendre dire : « Enfin ! »

ANNE-MARIE CARRIÈRE,
Poèmes à rire et à sourire, « Le vote des femmes »

Droit du sang

Le sang oublie souvent son devoir, mais jamais son droit.

FATOU DIOME,
Le Ventre de l'Atlantique

Ébriété

Je m'efforce de ne pas trop boire, parce que quand je suis ivre, je mords.

BETTE MIDLER

Quand on aime, on est toujours saoul, ou bien c'est de trop ou bien c'est de manque !

CHRISTIANE ROCHEFORT

Avant, je buvais pour rejoindre les gens, maintenant je bois pour les oublier.

FRANÇOISE SAGAN,
Les Merveilleux Nuages

École

L'école: une serre où l'on apprend aussi la cruauté et la bêtise des autres.

ALICE PARIZEAU,
L'Envers de l'enfance

Écrire

Écrire, c'est inventer ce qu'on sait déjà.

FRANÇOISE SAGAN,
Réponses

֍

Écrire est un métier... qui s'apprend en écrivant.

SIMONE DE BEAUVOIR,
La Force de l'âge

֍

L'écriture est comme la marche à pied: moins on y pense, meilleur c'est!

MADELEINE CHAPSAL,
Oser écrire

֍

On n'écrit pas un roman d'amour pendant qu'on fait l'amour.

COLETTE,
Lettres au petit corsaire

֍

Écris tout ce qui te passe par la fenêtre!

LISE DEHARME

❖

«Parce qu'elle écrit maintenant? Qu'est-ce qu'elle peut bien écrire? Même en signant ses autographes, elle faisait des fautes!»

JOSIANE BALASKO,
Un grand cri d'amour

❖

J'ai besoin de parler. De m'exprimer. De me libérer. Mais j'ai une phrase plantée au travers de la gorge, qui m'en empêche. Une arête! Qui m'arrête! Alors, j'ai décidé d'essayer un truc d'Agnès, un truc de bonne femme: écrire! Autrement dit, cracher sur le papier ce qui me coince la glotte.

FRANÇOISE DORIN,
Tout est possible

Écrivains

Les vers du poète Poinsinet ont le sort des enfants gâtés: leur père est le seul qui les aime.

SOPHIE ARNOULD

❖

Scribe, vieil auteur sifflé. – Ils n'ont pas pitié de mes cheveux blancs...
AUGUSTINE BROHAN. – Faites-les teindre!

❖

À propos de l'écrivaine anglaise Margot Asquith, **DOROTHY PARKER** disait : « La liaison entre Margot Asquith et Margot Asquith sera l'une des plus belles histoires d'amour de la littérature. »

Une seule chose que je ne pardonne pas à Marguerite Duras : ce titre, *Hiroshima mon amour*. Hiroshima, j'y suis allée. Effrayant. Comme si, après avoir été à Auschwitz, on écrivait *Auschwitz, mon petit chou* !

MARGUERITE YOURCENAR,
entretien avec Michèle Stouvenot,
Le Journal du dimanche, 2 décembre 1984

Éducation

Il faut vraiment être quelqu'un de très bien pour résister à une bonne éducation.

COCO CHANEL

Eddie, la mère. – Je t'ai enseigné les choses de la vie, tu es d'accord, chérie ?
Saffie, la fille. – Si tu fais allusion à la fois où tu t'es assise sur le coin de mon lit, que tu m'as réveillée brusquement à 2 heures du matin, et que, complètement saoule, tu m'as murmuré : « Faut que je te dise, chérie, les gens s'envoient en l'air », alors oui, tu m'as enseigné les choses de la vie.

JENNIFER SAUNDERS,
Absolutely Fabulous

Égalité des sexes

Les femmes ne veulent pas être les égales des hommes, il faudrait les lobotomiser pour cela.

ROSEANNE BARR

Il y a très peu de jobs qui nécessitent un pénis ou un vagin. Donc les autres, sans exceptions, devraient être accessibles à tous.

FLORYNCE KENNEDY

La femme serait vraiment l'égale de l'homme le jour où, à un poste important, on désignerait une femme incompétente.

FRANÇOISE GIROUD,
dans *Le Monde*, 11 mars 1983

Pour l'égalité des sexes, je prendrai moi-même toutes les mesures.

Déclaration prêtée à **YVETTE ROUDY,**
ministre de la Condition féminine en 1981

Tous les hommes sont égaux... même les femmes.

Titre d'un livre d'**ISABELLE ALONSO**

Égarement

Ne demande jamais ton chemin à celui qui sait. Tu pourrais ne pas te perdre!

SIMONE BERNARD-DUPRÉ,
Mélopée africaine

Égoïsme

L'égoïsme, ça vous conserve un homme comme la glace conserve la viande.

JEANNE MARNI

On ne se lasse pas d'admirer avec quel candide égoïsme les hommes demandent aux femmes non pas d'être elles-mêmes, mais de ressembler à l'idéal masculin de la féminité.

BENOÎTE GROULT

L'homme est un être réfléchi, puisqu'il ne voit que lui.

LOUISE LEBLANC,
Croque-messieurs

«M'énerve, celui-là, avec son ego en chou-fleur turgescent!»

CLAIRE BRETÉCHER,
Agrippine déconfite

Au lieu d'être attentifs à connaître les autres, nous ne pensons qu'à nous faire connaître nous-mêmes. Il vaudrait mieux écouter pour acquérir de nouvelles lumières que de parler trop pour montrer celles que l'on a acquises.

MADAME DE SABLÉ,
Maximes

❖

L'amour est un égoïsme à deux.

GERMAINE DE STAËL

Élégance

On se fait belle, on devient riche, on naît élégante.

DANIEL DARC,
Petit bréviaire du Parisien

Embonpoint

De Marietta Alboni, chanteuse corpulente et talentueuse du XIXe siècle, **DELPHINE DE GIRARDIN** disait : « C'est un éléphant qui a avalé un rossignol. »

❖

La comédienne **MADELEINE BROHAN** menaça son fils qui avait fait une bêtise en lui montrant une collègue, l'énorme Mme Allan : « Si tu n'es pas sage, je vais te faire faire le tour de Mme Allan ! »

❖

Une collègue. – Elle est de plus en plus grosse, Marie Colombier!
Combien a-t-elle de baleines dans son corset?
LÉONIDE LEBLANC, *comédienne*. – Une seule, ça lui suffit.

❦

Je ne suis pas trop grosse, il me manque juste une vingtaine de
centimètres en hauteur.

SHELLEY WINTERS

❦

Elizabeth Taylor est-elle grosse?... Sa nourriture favorite, c'est
le rab.

JOAN RIVERS

❦

Elle est tellement corpulente qu'elle est mes deux meilleures
amies.

JOAN RIVERS

❦

Si j'avais vécu au temps du peintre Rubens, j'aurais été adulée
comme un modèle fabuleux. Kate Moss, le mannequin filiforme,
aurait été le pinceau.

DAWN FRENCH

❦

Je suis ronde mais mes angles sont à l'intérieur.

LAURENCE BOCCOLINI,
interviewée par Laurent Ruquier

❦

D'une femme enrobée, on dit : « Elle se laisse aller »... mais d'un homme qui a du ventre : « C'est un bon vivant. »

ANNE ROUMANOFF

La drôlerie est le côté fin de l'embonpoint.

GILDA RADNER

Enfance

L'on est enfant toute sa vie, et l'on ne fait que changer d'amusements et de poupées.

CHRISTINE DE SUÈDE,
Maximes et pensées

Ce n'est pas en tuant ses parents que l'on devient adulte, mais en tuant l'enfant de ses parents, une cible beaucoup plus difficile.

BENOÎTE GROULT

Ce n'est pas en tuant ses parents que l'on devient adulte, mais en tuant l'enfant de ses parents, une cible beaucoup plus difficile.

J'aime bien les enfants, surtout quand ils crient, parce que alors quelqu'un vient m'en débarrasser.

NANCY MITFORD

Mon mari et moi allons ou acheter un chien ou avoir un enfant. Nous ne pouvons pas nous décider, soit ruiner notre moquette, soit ruiner nos vies.

RITA RUDNER

Les enfants, quelle calamité ! Le pire, c'est qu'une fois qu'on les a, on les aime ! Et on arrête de vivre.

ANÉMONE,
citée dans *Drôles de femmes*
(Julie Birmant et Catherine Meurisse)

Enfantement

La dépression *post-partum*, le *baby blues*, le mot est faible ! Tu as envie de te pendre avec le cordon ombilical... c'est pour ça qu'il le coupe très vite.

FLORENCE FORESTI,
Mother Fucker, sketch «L'accouchement»

Ennemi

Les ennemis ne sont utiles que tant qu'il s'agit de monter. Au sommet, il n'en faut plus.

CARMEN SYLVA,
Les Pensées d'une reine

Ennui

S'ennuyer, c'est se rendre justice.

COMTESSE DIANE,
Les Glanes de la vie

Il est bien plus divertissant d'être ennuyeux que d'être intéressant.

AMÉLIE NOTHOMB,
Les Catilinaires

Enrichissement

M. de Talleyrand n'est devenu si riche que pour avoir toujours vendu ceux qui l'achetaient.

AIMÉE DE COIGNY,
Journal

La vie engendre la vie. L'énergie produit l'énergie. C'est en se dépensant soi-même que l'on devient riche.

SARAH BERNHARDT

Entaille

C'est toujours sur les couteaux qui ne coupent pas qu'on se donne une entaille. Les autres, on s'en méfie.

GERMAINE GUÈVREMONT,
Marie-Didace

Enterrement

J'ai grande envie de voir mon propre enterrement avant de mourir.

MARIA EDGEWORTH,
Château Rackrent

Ah, je voudrais, rien qu'un instant,
Les voir, sur la dalle froide,
Agenouillés et marmonnant.
En avant pour la mascarade!
Ceux qui viennent et font semblant,

Effeuillant d'une main distraite,
Du bout du cœur, du bout des gants,
Un chrysanthème, un «je regrette»,
Un peu, beaucoup, passionnément,
Le jour de la dernière fête,
Le jour de la dernière fête...

BARBARA,
«Y aura du monde à l'enterrement»

Épate

Au fond, c'est de l'altruisme d'acheter une voiture à effet; tout est pour les autres.

CHRISTIANE ROCHEFORT,
Les Stances à Sophie

Époux

Elle est trop intelligente. Elle ne pourra jamais régresser suffisamment pour devenir une bonne épouse.

MARILYN FRENCH

Il n'y a pas de mauvais mariages, il n'y a que de mauvais époux.

RACHILDE

Erreur

J'aime mieux une erreur qui fait mon bonheur qu'une évidence qui me désespère.

MADELEINE DE PUISIEUX,
Les Caractères

Esprit

Une femme. – Cet homme court après l'esprit.
Ninon de Lenclos. – Je parie pour l'esprit.

⚜

Une dame. – On dit que l'esprit court les rues.
Sophie Arnould. – Oui, oui... c'est un bruit que les sots font courir !

⚜

Quand on a le malheur d'avoir plus d'esprit que son supérieur, il faut paraître en avoir moins.

Sophie d'Houdetot

⚜

Il en est de l'esprit comme du talent : il vaut mieux n'en avoir point du tout que de n'en avoir pas assez.

Mlle Fontette de Sommery

⚜

Les jouissances de l'esprit sont faites pour calmer les orages du cœur.

Germaine de Staël

⚜

En France, excepté les bas-bleus, toutes les femmes ont de l'esprit.

Delphine de Girardin

⚜

Mlle X... passe pour une femme d'esprit, parce qu'elle ose dire tout ce qui ne devrait pas lui passer par la tête.

AUGUSTINE BROHAN

❖

Il est difficile de ne pas trop décolleter son esprit, quand il est joli.

ANNE BARRATIN,
Ce que je pense

❖

Il est des cas où l'esprit consiste à n'en avoir pas.

MARIE BONAPARTE,
Les Glanes des jours

Esprits faux

Les esprits faux sont les daltoniens de l'intelligence.

MYRIAM LE BARGY,
Démaquillages

État

L'État, c'est la providence des gens sans état.

AIMÉE DE COIGNY,
Journal

Étonnement

On s'étonne trop de ce qu'on voit rarement, et pas assez de ce qu'on voit tous les jours.

MADAME DE GENLIS

❖

Quand je n'aurais appris qu'à m'étonner, je me trouverais bien payée de vieillir.

COLETTE,
Prisons et paradis

Étrangers

Que cela plaise ou non, les Français n'aiment pas les étrangers. Les pauvres, bien sûr. Les riches, on les appelle des touristes.

FRANÇOISE GIROUD,
La Rumeur du monde

Europe

L'Europe est un berceau vide où il n'y a pas d'enfant.

MARIE-FRANCE GARAUD,
Géopolitique, mars 1984

Évolution

Il faut vingt ans à une femme pour faire de son fils un homme. Il faut vingt minutes à une autre femme pour en faire un imbécile.

HELEN ROWLAND,
A Guide to Men

Il y a plus d'habileté à se tirer bien d'une aventure délicate qu'à l'entreprendre; presque tous les commencements sont beaux, les milieux fatigants et les fins pitoyables.

MADELEINE DE PUISIEUX,
Les Caractères

À vingt ans, tu gueules ; à trente ans, tu fais la gueule ; à quarante ans, tu fermes ta gueule.

ANNE ROUMANOFF,
Bien plus que vingt ans

❦

Quand j'étais jeune, j'avais le visage lisse et des jupes plissées, maintenant, c'est le contraire.

PAULINE CARTON

❦

Les temps changent : autrefois, les femmes vivaient dans l'ombre des hommes qui, bien souvent, n'étaient pas l'ombre d'eux-mêmes. Aujourd'hui, les femmes prennent leur place au soleil, ce qui rend les hommes de plus en plus ombrageux.

LOUISE LEBLANC,
Croque-messieurs

❦

On passe sa vie à dire adieu à ceux qui partent, jusqu'au jour où l'on dit adieu à ceux qui restent.

VÉRA DE TALLEYRAND-PÉRIGORD

❦

Autrefois, quand elle était gênée, une jeune fille rougissait. Aujourd'hui, quand une jeune fille rougit, elle est gênée.

MADAME SIMONE

Évolution en amour

Je me suis éprise, je me suis méprise, je me suis reprise.

CÉCILE SOREL

L'amour, c'est un coup d'œil, un coup de rein et un coup d'éponge.

SARAH BERNHARDT

*On se veut
On s'enlace
On se lasse
On s'en veut.*

LOUISE DE VILMORIN,
L'Alphabet des aveux

L'homme vole le premier baiser, supplie pour le deuxième, exige le troisième, prend le quatrième, accepte le cinquième et endure tous les autres.

HELEN ROWLAND,
A Guide to Men

Tel est le sort des femmes galantes : elles se donnent à Dieu quand le diable n'en veut plus.

SOPHIE ARNOULD

Exagération

Nous prenons aisément l'exagération pour la grandeur.

MADAME DARDENNE DE LA GRANGERIE,
Pensées d'automne

Excès d'amour

Ne jamais oublier d'aimer exagérément: c'est la seule bonne mesure.

CHRISTIANE SINGER,
Derniers fragments d'un long voyage

Exigence

Si les femmes étaient aussi exigeantes dans le choix de leurs amants qu'elles le sont dans celui d'une paire de bas, elles auraient moins d'embêtements.

MARCELLE AUCLAIR,
L'Amour

Je n'en demande pas trop! J'aimerais seulement trouver un homme prévenant, qui me comprendrait. Est-ce vraiment trop attendre d'un millionnaire?

ZSA ZSA GABOR

Expérience

L'expérience a l'utilité d'un billet de loterie après le tirage.

SOPHIE D'HOUDETOT

L'expérience est un médecin qui n'arrive jamais qu'après la maladie.

MADAME DUSSÈRE

Explication

Si Dieu apparaît le plus souvent aux femmes, c'est qu'Il tient à leur faire part d'un mystère qu'Il veut rendre public.

NINON DE LENCLOS

Une femme qui se marie pour la seconde fois ne porte pas de voile : elle veut voir ce qu'elle va avoir.

HELEN ROWLAND,
A Guide to Men

SARAH BERNHARDT, déjà âgée, habitait un appartement au cinquième étage. Un jour, un admirateur frappe à sa porte, essoufflé :
– Quelle idée d'habiter si haut !
– C'est le seul moyen que j'aie trouvé pour faire battre plus fort le cœur des hommes.

L'actrice **JEANNE GRANIER** habitait au dernier étage d'un grand immeuble et justifiait son choix : « Au moins, là, on entend soupirer les anges ! »

Pourquoi je prends des bains de lait? Parce que je n'ai pas trouvé de vache assez haute pour que je prenne des douches!

CÉCILE SOREL

Pourquoi les femmes ne courent pas après les hommes? Parce que les pièges ne vont pas au-devant des rats.

LISE DEHARME

On pleure souvent dans les mariages: c'est de l'émotion ou de l'anticipation?

ANNE ROUMANOFF,
Couple, petits soucis et gros problèmes

Extraordinaire

Il n'est pas plus surprenant de vivre deux fois qu'une.

MARTHE BIBESCO

Le fin du fin, c'est de réaliser extraordinairement des choses ordinaires.

ALICE GLYNN

Extravagance

De la comtesse de Fiesque, femme hors norme, **MME DE CORNUEL** disait: «Elle s'entretient dans l'extravagance comme les cerises dans l'eau-de-vie.»

Facilité

Méfiez-vous de la facilité. Il faut se garder de tomber du côté
où l'on penche.

COLETTE

Faiblesse

Les femmes ont permission d'être faibles, et elles se servent sans
scrupule de ce privilège.

MARQUISE DE SÉVIGNÉ

Les femmes ne sont jamais plus fortes que lorsqu'elles s'arment
de leur faiblesse.

MARIE DU DEFFAND,
Correspondance

Famille

La famille est un ensemble de gens qui se défendent en bloc et s'attaquent en particulier.

COMTESSE DIANE,
Le Livre d'or

❧

Les familles nombreuses, je suis pour. Tout le monde devrait avoir au moins trois maris.

ZSA ZSA GABOR

❧

Je n'ai toujours pas entendu d'hommes demander des conseils sur la manière d'allier le travail et la vie de famille.

GLORIA STEINEIM

Fantômes

Est-ce que je crois aux fantômes ? Non, mais j'en ai peur.

MARIE DU DEFFAND

Farce

La vie est une farce, apprends à rire !

MARIE-CLAIRE BLAIS,
Un joualonais, sa joualonie

Fatalité

C'est drôle comme la fatalité se plaît à choisir pour la représenter des visages indignes ou médiocres.

FRANÇOISE SAGAN,
Bonjour tristesse

Faute

Quand on connaît les femmes, il faut bien avouer qu'elles ont plus de regret de n'avoir pas commis une mauvaise action profitable, que de remords de l'avoir faite.

MADAME DE RÉMUSAT,
L'Essai sur l'éducation des femmes

Faveurs

Ce que l'on aime surtout, ce sont les faveurs auxquelles on n'a pas droit.

DELPHINE DE GIRARDIN

Féminisme

Quoi de plus féministe que les neuf Muses et Apollon?

NATALIE CLIFFORD BARNEY,
Pensées d'une Amazone

Féminisme : rendre les femmes éligibles – elles, au moins, n'ont pas encore donné toute la mesure de leur bêtise!

NATALIE CLIFFORD BARNEY,
Nouvelles pensées de l'Amazone

Je n'ai jamais réussi à définir le féminisme. Tout ce que je sais, c'est que les gens me traitent de féministe chaque fois que mon comportement ne permet plus de me confondre avec un paillasson ou une prostituée.

REBECCA WEST

Le féminisme n'a jamais tué personne. Le machisme tue tous les jours.

BENOÎTE GROULT,
citée par Florence Montreynaud

Il n'y a qu'une manière d'être féministe aujourd'hui pour un homme, c'est de se taire enfin sur la féminité. C'est de laisser parler les femmes.

BENOÎTE GROULT,
Le Féminisme au masculin

Les féministes peuvent se disputer, ce sont des hommes comme les autres !

FLORENCE MONTREYNAUD

C'est lui qui est parti et c'est moi qui me sens coupable. Je suis féministe mais cruche. Le paradoxe est mon royaume.

DENISE BOMBARDIER,
Ouf!

Un féministe est un homme qui accepte de couper la poire en deux tout en s'assurant que la poire est encore la femme.

LOUISE LEBLANC,
Croque-messieurs

Féminité

La féminité n'est pas une incompétence. Elle n'est pas non plus une compétence.

FRANÇOISE GIROUD,
Chienne d'année

⚜

Le vaisseau de la féminité : galbée en proue, majestueuse en poupe et poivrée dans les écoutilles.

LOUISE DE VILMORIN,
Migraine

Femme

L'Homme par excellence, avec un « H » majuscule, c'est tout de même la Femme.

MARIANNE SERGENT,
La France, ta fierté fout l'camp !

⚜

La femme, comme les vagues de l'océan : toutes les mêmes, jamais semblables.

DANIEL DARC,
Petit bréviaire du Parisien

⚜

Le diable fit [la femme] une petite machine plus délicate, plus fragile, joujou amusant pétri de vices, de malice, destiné à troubler la cervelle épaisse de l'homme.

COMTESSE DE TRAMAR,
Le Bréviaire de la femme

⚜

Je suis heureuse de ne pas être un homme, car, si cela était, je serais obligée d'épouser une femme.

GERMAINE DE STAËL,
citée par Gabriel Chevallier
(*L'Envers de Clochemerle*, 1966)

Femme-auteure

Depuis que les femmes écrivent, les hommes ont perdu des plumes.

LOUISE LEBLANC,
Croque-messieurs

Femme (avantages)

Je préfère être une femme : nous pouvons pleurer, nous portons de jolis vêtements et nous sommes sauvées en premier, en cas de naufrage.

GILDA RADNER

Femme-objet

La femme-objet est une création de l'homme abject.

LOUISE LEBLANC,
Croque-messieurs

Femmes (sortes)

Il y a deux sortes de femmes : celles qui vous rasent et celles qui vous tondent.

DOMINIQUE ANDRÉ,
Cassandre

Femmes de lettres

Si l'on convie à sa table des amis silencieux, il sera bon d'y joindre une femme de lettres. Le très maladroit serait d'en inviter deux.

LUCIE PAUL-MARGUERITTE,
Paillettes

Femmes libérées

Je veux que les femmes soient libérées et qu'elles puissent toujours remuer leur beau cul.

SHIRLEY MACLAINE

Femmes mystérieuses

Les hommes étudient la femme comme ils étudient le baromètre, mais ils ne comprennent jamais que le lendemain.

CARMEN SYLVA,
Les Pensées d'une reine

Les femmes sont un sujet sur lequel les hommes aiment à s'étendre.

LYDIE AUBERNON

Femmes vs hommes

En général, les hommes savent ce qu'ils veulent et les femmes ce qu'elles ne veulent pas.

MARIE VALYÈRE,
Nuances morales

Le poil est une prérogative masculine. La nature a voulu l'homme plus poilu que la femme, mieux protégé contre le froid, ce qui justifie, pour la femme, le besoin de porter des fourrures en hiver.

ANNE-MARIE CARRIÈRE,
Dictionnaire des hommes

❦

Un homme ne sait jamais comment dire adieu, une femme ne sait jamais à quel moment le dire.

HELEN ROWLAND,
A Guide to Men

❦

Une femme n'a besoin de connaître qu'un seul homme pour les comprendre tous, alors qu'un homme peut connaître toutes les femmes sans en comprendre une seule.

HELEN ROWLAND,
A Guide to Men

❦

Le jour où j'ai réussi à monter toute seule ma bibliothèque Ikea, je me suis demandé pourquoi Dieu avait créé deux sexes !

CÉCILE TÉLERMAN,
Tout pour plaire

❦

Autrefois, nous les femmes, nous étions de l'extrait de côtelette, une sorte de Viandox à base d'Adam. L'homme était premier. Une photo d'époque, prise par Michel-Ange, et où le doigt de Dieu s'assortit parfaitement à la bistouquette de sa créature, le prouve abondamment. La femme était donc un produit dérivé, second, venant de l'homme qui, lui, venait de Dieu.

ISABELLE ALONSO,
Et encore, je m'retiens!

Fidélité

La fidélité n'est pas forcément une preuve d'amour, elle peut être un manque de curiosité.

LUCIE PAUL-MARGUERITTE,
L'Amour en flèches

⋄⋄⋄

Être fidèle quand on n'a pas de propositions, c'est comme être honnête quand on ne fait pas de politique, on n'a aucun mérite.

ANNE ROUMANOFF,
Couple, petits soucis et gros problèmes

⋄⋄⋄

« Je ne le trompe pas : je ne suis jamais la même avec les autres. » Jésuitiques en amour, ces femmes sont mystérieusement matérielles : l'une d'elles se jugeait fidèle à son amant parce qu'elle lui avait gardé, cela seul pour lui seulement, le petit creux veiné qu'il aimait à embrasser en dépliant son bras.

NATALIE CLIFFORD BARNEY,
Pensées d'une Amazone

Il en est des femmes comme des traductions, la fidélité sans autre vertu les rend insupportables.

MARGUERITE YOURCENAR

Filles

Ce n'est pas ce que les filles savent qui inquiète leur mère, c'est la façon dont elles l'ont appris.

COLETTE

Film

Des fois, on croit qu'on tourne une merde et c'est un chef-d'œuvre. Des fois, on croit qu'on tourne une merde et c'est une merde.

CHARLOTTE DE TURCKHEIM,
Ma journée à moi

Flatterie

Gare à la flatterie, ma fille : trop de sucre gâte les dents !

MARQUISE DE SÉVIGNÉ,
Correspondance

La flatterie est une monnaie internationale qui a cours dans tous les pays, elle ne connaîtra *jamais* de dévaluation.

MYRIAM LE BARGY,
Démaquillages

Le seul capital qui ne coûte rien et qui rapporte beaucoup, c'est la flatterie.

VÉRA DE TALLEYRAND-PÉRIGORD

Fleurs

Dites-le avec des fleurs. C'est beaucoup plus cruel !

ZOÉ OLDENBOURG,
Visages d'un autoportrait

Si un homme offre à sa femme des fleurs sans raison, c'est qu'il y a une raison.

MARGUERITE DURAS

Foirade

La loi de Madame Murphy [loi de l'emmerdement maximum au féminin] : si quelque chose doit foirer, cela foirera et, dans ce cas, la femme sera coupable.

FAITH HINES,
La Loi de Madame Murphy

Folie

Les femmes font les pires folies pour allumer une passion et prennent la fuite devant l'incendie.

LAURE D'ABRANTÈS

Ma folie a toujours été de vouloir être raisonnable.

MADAME DE STAAL-DELAUNAY

Les gens qui ont le plus d'esprit sont ceux qui déraisonnent le plus quand leurs passions sont en jeu ; car alors tout leur esprit s'applique à trouver des arguments en faveur de leur folie.

MARIA EDGEWORTH

❖

L'argent rend les hommes fous, lorsqu'ils en ont et lorsqu'ils n'en ont pas.

FRANÇOISE SAGAN

❖

Si une femme a du génie, on dit qu'elle est folle. Si un homme est fou, on dit qu'il a du génie.

LOUKY BERSIANIK,
L'Euguélionne

Fonctionnaire

Son père est fonctionnaire. Sa mère ne travaille pas non plus.

CHARLOTTE DE TURCKHEIM

Football

Quand un homme regarde trois matchs de football d'affilée, il devrait être déclaré légalement mort.

ERMA BOMBECK

❖

On peut remercier le football grâce auquel beaucoup d'enfants savent comment est fait un millionnaire.

PHYLLIS DILLER

Force

Un homme fort ? Vous parlez de la musculature ?

FRANÇOISE SAGAN,
Réponses

Formation matrimoniale

Nous, les femmes, devons tout gérer. Et avec le sourire ! Ne pas se plaindre, ça fait enquiquineuse. Ne pas grossir, ça fait popote. Ne pas vieillir, ça fait fuir... Aucune formation professionnelle ne nous a été dispensée pour ce job multirisques.

LAURENCE COCHET,
On va y arriver ! Tout gérer

Fortune

La Fortune est un enfant peu difficile en jouets : elle ballotte aussi bien un pauvre hère qu'un potentat.

MADELEINE DE PUISIEUX

Foule

Avez-vous remarqué comme on est bête quand on est beaucoup ?

GEORGE SAND

L'homme est une entreprise qui a contre elle le temps, la nécessité, la fortune, et l'imbécile et toujours croissante primauté du nombre. [...] Les hommes tueront l'homme.

MARGUERITE YOURCENAR,
L'Œuvre au noir

Fourmis

Où les fourmis, qui ont une réputation de grandes travailleuses, trouvent-elles du temps pour aller à tous les pique-niques?

MARIE DRESSLER

꧁

Les rois peuvent voir tomber leurs palais, les fourmis auront toujours leur demeure.

EUGÉNIE DE GUÉRIN,
Lettre à Mme de Maistre, 23 octobre 1838

꧁

On peut espérer que, lorsqu'ils seront les maîtres du monde, les insectes se souviendront avec reconnaissance que nous les avons plutôt bien nourris lors de nos pique-niques.

COLETTE

Fourrure

Faut pas compter sur moi pour être objective. J'aime pas la fourrure.

C'est pas en se foutant du poil sur le dos que des femmes feront oublier leurs chevilles épaisses, leur bouche molle, ou leurs cheveux teints. Et si elles sont jolies (ça peut quand même arriver), ça cachera toujours pas leur connerie. Parce que pour oser encore se trimballer avec ça, faut en avoir une sacrée couche, une sinistre couche, qu'une balance pour la peser, ça n'existe pas.

PAULE, dans *Charlie Hebdo,*
« Le billet d'une emmerdeuse » (21 octobre 1974)

France

Tous les Français aiment la France, c'est vrai, mais jamais la même.

AIMÉE DE COIGNY,
Journal

Mon cœur est français, mon cul est international !

ARLETTY
(« C'est une trouvaille de Jeanson.
Il me l'a offerte : merci, Henri ! », *Les Mots d'Arletty*)

Le Français léger meurt en riant ; eh ! mais nous n'appelons pas cela de la légèreté, c'est du courage, c'est de la foi, c'est de l'espérance, c'est une sublime philosophie.

DELPHINE DE GIRARDIN,
Lettres parisiennes

Franchise

Il faut que la franchise soit une qualité bien séduisante pour qu'on la prône d'autant plus qu'on l'a moins.

MADAME DE GENLIS

Dans le monde, il n'est pas défendu d'avoir l'air franc mais de l'être.

MARGUERITE GRÉPON,
Lotissement-journal

Francophonie

En France, pour être porté aux nues, il vaut mieux être un auteur anglo-saxon que francophone [...]. Les romans anglo-saxons, tous genres confondus, ont une longueur d'avance, peu importe leur qualité. On leur attribue des vertus avant même de les avoir lus, a-t-on l'impression. [...] Je déplore cet *aplaventrisme* en contrepartie duquel l'on jette sur la littérature francophone un regard distrait, amusé ou étonné lorsqu'on lui trouve quelque mérite.

DENISE BOMBARDIER,
Lettre ouverte aux Français qui se croient le nombril du monde

Fréquence coïtale

Son mari, c'est la galette des rois : il doit la tirer une fois par an.

ISABELLE MERGAULT,
Enfin veuve

Frivolité

Si l'on ôtait de la vie tout ce qu'il y a de vain et de frivole, il y resterait si peu de choses que cela ne vaudrait pas la peine de le regretter.

MADELEINE DE SCUDÉRY

Heureusement que nous avons la frivolité, la frivolité nous sauve, [...] le jour où la frivolité nous abandonne, nous mourons.

YASMINA REZA,
Dans la luge d'Arthur Schopenhauer

Froid

L'autre hiver, il a fait si froid que l'électricité gelait dans les fils.

LAURENCE SÉMONIN,
La Madeleine Proust

Ooh, elle est si froide ! Je parie que ses règles sortent en glaçons !

JENNIFER SAUNDERS,
Absolutely Fabulous

Fromage

Une marchande de fromage sur un marché du Midi : « Comment le voulez-vous, votre camembert, guindé ou qui s'abandonne ? »

Gâchis

C'est drôle ce besoin qu'ont les gens d'accuser les autres d'avoir gâché leur existence. Alors qu'ils y parviennent si bien eux-mêmes, sans l'aide de quiconque.

AMÉLIE NOTHOMB,
Cosmétique de l'ennemi

Gaieté

Qu'est-ce que la gaieté ? Une des charités de l'intelligence.

COMTESSE DIANE,
Le Livre d'or

Depuis que Voltaire est mort, il me semble qu'il n'y a plus d'honneur attaché à la belle humeur ; c'était lui qui était la divinité et la gaieté.

CATHERINE II DE RUSSIE,
Lettre à Grimm, 21 juin 1778

Il y a quelque chose de triste au fond de la plaisanterie fondée sur la connaissance des hommes : la gaieté vraiment inoffensive est celle qui appartient seulement à l'imagination.

GERMAINE DE STAËL,
Corinne ou l'Italie

Il y a toujours dans la franche gaieté une sorte d'enfantillage, qui ressemble à l'innocence et qui en fait le plus grand charme.

MADAME DE GENLIS,
Pensées diverses

Être gai, c'est être supérieur à sa destinée.

MARIE VALYÈRE,
Nuances morales

On recherche les personnes gaies plus qu'on ne les estime.

ANNE BARRATIN,
De vous à moi

Galant

Établissez la différence entre un homme galant et un galant homme. Le second répare le mal fait par le premier.

COMTESSE DIANE,
Le Livre d'or

Gars des villes, gars des champs

Les gosses des villes, ils ne savent rien faire de leurs dix doigts, à part démonter un scooter pour en faire deux. Les gosses de la campagne avec deux scooters qui ne marchent pas, ils t'en font un qui va bien.

LAURENCE SÉMONIN,
La Madeleine Proust

Généalogie

Se glorifier de la noblesse de ses ancêtres, c'est chercher, dans les racines, des fruits que l'on devrait trouver dans les branches.

MME ROLAND

MARIE LESZCZYNSKA à son écuyer, le comte de Tessé:
Marie L. – Votre maison s'est aussi distinguée dans le courage militaire?
L'écuyer. – En effet, nous avons tous été tués au service de nos maîtres.
Marie L. – Que je suis heureuse que vous soyez resté pour me le dire!

Général

Pour remplacer Turenne, pas moins de huit maréchaux furent nommés. **MADAME DE CORNUEL** les appelait «la monnaie de M. de Turenne».

⚜

Nos généraux vaincus ne se tuent pas, ils écrivent.

AIMÉE DE COIGNY,
Journal

⚜

Un âne à deux pieds peut devenir général et rester âne.

COMTESSE DE SÉGUR,
Le Général Dourakine

Généralisation

Le sexisme, comme le racisme, commence par la généralisation. C'est-à-dire la bêtise.

CHRISTIANE COLLANGE

Générosité

C'est si bon de donner aux bons que, cet acte n'étant guère accompagné de mérite, Dieu nous oblige aussi à donner aux méchants.

AUGUSTA AMIEL-LAPEYRE,
Pensées sauvages

⚜

Voulez-vous savoir comment il faut donner ? Mettez-vous à la place de celui qui reçoit.

MADELEINE DE PUISIEUX

⚜

La générosité croit toujours devoir ce qu'elle donne.

ANNE-SOPHIE SWETCHINE,
Pensées

Gens d'esprit

Il faut à une femme d'esprit mettre un grain de sucre dans tout ce qu'elle dit et ajouter un grain de sel à tout ce qu'elle entend.

GERMAINE DE STAËL

⚜

Si l'amour donne de l'esprit aux sots, il rend quelquefois bien sots les gens d'esprit.

NINON DE LENCLOS

⚜

La grande erreur des gens d'esprit est de ne croire jamais le monde assez bête, aussi bête qu'il est.

CLAUDINE DE TENCIN,
propos cité par Chamfort

⚜

Si les gens d'esprit se mêlent aussi d'être vaniteux, que restera-t-il aux ignorants et aux sots?

DANIEL DARC,
Petit bréviaire du Parisien

Les gens d'esprit égarés chez les imbéciles ont souvent l'air plus bêtes que leur entourage.

MARIE VALYÈRE,
Nuances morales

Gentillesse

PRINCESSE MATHILDE disait à l'un de ses amis, homme politique: «Pour ne faire de peine à personne, vous êtes de toutes les opinions, hormis la vôtre.»

Gloire

La gloire: être connu de ceux que l'on ne voudrait pas connaître.

NATALIE CLIFFORD BARNEY,
Pensées d'une Amazone

La renommée: des millions de gens qui se font une fausse idée de ce que vous êtes.

ERICA JONG

Drôle de carrière : tout le monde me connaît et personne ne parle de moi !

MARIA PACÔME,
Maria sans Pacôme

❦

La donation en art est une montée vers la gloire par l'escalier de service.

CHRISTINE ARNOTHY,
Un type merveilleux

❦

Une célébrité est une personne qui travaille dur toute sa vie pour être connue et qui ensuite porte des lunettes noires pour ne pas être reconnue.

GRACIE ALLEN

❦

La gloire change beaucoup de choses, mais elle ne change pas les ampoules.

GILDA RADNER

❦

Je ne serais pas étonnée que Rousseau commît exprès des crimes qui ne l'aviliraient pas mais qui le conduiraient à l'échafaud, s'il croyait augmenter sa célébrité.

MARIE DU DEFFAND

❦

Apprenant la mort de la comédienne Blanche Dufrêne, la chanteuse **GABY DESLYS** commenta : « Oh ! C'est effroyable ! Jamais je n'oserais aller jusque-là pour qu'on parle de moi. »

❧

On parlait à la comédienne **AUGUSTINE BROHAN** d'une actrice réputée pour ses scandales galants plus que pour ses succès théâtraux : « Cette femme-là, elle est trop connue... et pas assez célèbre. »

Gloriole

Les hommes pissent debout et c'est grande merveille de voir les plus intelligents, les plus cultivés, en tirer gloire et s'en esbaudir.

FRANÇOISE PARTURIER,
Lettre ouverte aux femmes

Gorille

Contrairement à King Kong, le gorille est un animal placide qui ne cherche de noises à personne. Tout ce qu'il demande, c'est qu'on le laisse peinard au Rwanda. New York, c'est pas du tout son truc, et il n'a jamais eu l'intention d'escalader l'Empire State Building. Le gorille n'est pas fou. Il a beau être le plus proche parent de l'homme, il ne cherche pas à lui ressembler. Il sait bien que, des deux, c'est lui qui a la plus belle vie.

CHRISTINE BRAVO,
Les Grosses Bêtes

Grandeur

Les grands sont presque tous ignorants, et ils n'ont d'autres moyens de ne le point paraître, que d'avoir auprès d'eux des gens qui ne le soient pas.

MADELEINE DE PUISIEUX,
Les Caractères

✣

Grand ne signifie pas nécessairement mieux. Les tournesols ne sont pas mieux que les violettes.

EDNA FERBER

✣

Sa manière d'être grand, c'est d'être gros.

NATALIE CLIFFORD BARNEY,
Pensées d'une Amazone

Grand dadais

Les hommes d'une grande taille et d'un petit esprit ressemblent à ces hôtels garnis dont l'appartement le plus élevé est ordinairement le plus mal meublé.

SOPHIE ARNOULD

Grand homme

Les grands hommes sont comme les beaux tableaux : il ne faut pas les voir de trop près.

MADAME GEORGE-DAY,
Propos sur l'homme

✣

Tout le monde sait bien, pourtant, que derrière le cher grand homme se tient une femme (c'est parfois la même) pour l'inspirer, le rassurer, le consoler, et parfois le ramasser à la petite cuiller...

LOUKY BERSIANIK,
L'Euguélionne

Grand nom

Un grand nom sans mérite est comme une épitaphe sur un cercueil.

MADELEINE DE PUISIEUX,
Les Caractères

Gravité

La gravité n'est souvent que le faux nez de la sottise.

DANIEL DARC,
Petit bréviaire du Parisien

Grève

C'est un drôle de pays, la France, où les négociations ont toujours lieu après le déclenchement des grèves et non avant.

FRANÇOISE GIROUD,
La Rumeur du monde

C'est quand même bizarre que, quand les fonctionnaires sont en grève, on appelle ça une «journée d'action».

ANNE ROUMANOFF,
On ne nous dit pas tout

Grivoiserie

Un jour, dans un port de mer, la chanteuse **SUZANNE LAGIER** admira un ingénieux mécanisme et demanda à un autochtone :
Suzanne Lagier. – Qu'est-ce que c'est que ça ?
Un quidam. – C'est une grue... ça lève des fardeaux.
Suzanne Lagier. – Ah !... chez nous, à Paris, ça ne lève que des hommes.

Échange rapporté par Paulus dans ses mémoires

« Là, dans ta poche, c'est ton revolver ou t'es juste content de me voir ? »

MAE WEST,
Lady Lou, originellement *She Done Him Wrong* (1933)

Les hommes aiment bien parler de nos miches, nibards, joufflus et roploplos, mais ils détestent nous entendre grivoiser à propos de « Charles-le-Chauve » !

FLORENCE CESTAC,
Le Démon de midi

À propos d'un bouquet de fleurs offert par un homme :
Roses rouges d'amour,
J'en deviens toute chose,
Ma roseur pour atour.
Je les baise au passage
Et me grise à leur goût,
Poivré comme un message

De votre odeur à vous.
[...]
Les feuilles me chatouillent
Quant aux épines... Tiens!
J'ai une rime en «ouille»
Et en «pine» au besoin.

MARIANNE SERGENT,
La France, ta fierté fout l'camp!

❧

Commissaire Bialès. – Vous voulez un whisky?
Odile Deray. – Oh! juste un doigt.
Commissaire Bialès. – Vous ne voulez pas un whisky d'abord?

CHANTAL LAUBY (LES NULS),
La Cité de la peur

❧

La maîtresse de jardinage à des jeunes filles:
«Si votre motte est trop sèche, un petit coup de bine l'attendrira, car comme le disait feu M. Le Nôtre: "Motte usée, bouche cousue." Une fois la motte piquée, on peut introduire la semence, laquelle vous donnera de belles roses ou de beaux choux si vous arrosez.»

ISABEAU DE R.,
«Joséphine-Le jardinage»

❧

Après un séjour avec mon amant au Pays basque, il m'a déclaré:
«Vous êtes plus douée pour la pipe que pour la piperade.»

FLORENCE FEYDEL

Guerre

Avant une guerre, la science militaire fait figure de science, comme l'astronomie. Après une guerre, elle tient plus de l'astrologie.

REBECCA WEST

❖

À la guerre, on fabrique des hommes morts et, pour les camoufler, on les appelle des héros.

ALICE FERNEY

❖

La guerre conventionnelle, elle est pourvoyeuse d'emplois. Dieu soit loué! Elle lutte contre le chômage, la bonne apôtre.

LOUKY BERSIANIK,
L'Euguélionne

Gynécologue

Un gynécologue homme est semblable à un mécanicien qui n'aurait jamais eu de voiture.

CARRIE P. SNOW

Haine

Le pire de certaines haines, c'est qu'elles sont si viles et rampantes qu'il faut se baisser pour les combattre.

DANIEL STERN,
Esquisses morales, pensées, réflexions et maximes

Il faut haïr très peu, car c'est très fatigant.

SARAH BERNHARDT

Harmonie

Pour vivre heureux ensemble, deux êtres doivent être tous deux esclaves, pour qu'aucun ne le soit.

LAURE D'ABRANTÈS,
Blanche

Hasard

Laissons le choix au Hasard, cet homme de paille de Dieu.

MARGUERITE YOURCENAR,
Nouvelles orientales, « Le Lait de la mort »

Hédonisme

Les gens qui se divertissent trop s'ennuient.

CHRISTINE DE SUÈDE,
Maximes et pensées

⚜

Surnommée « la Dame de volupté », la **MARQUISE DE BOUFFLERS** composa ce quatrain pour sa propre épitaphe :
Ci-gît, dans une paix profonde,
Cette Dame de volupté
Qui, pour plus grande sûreté,
Fit son paradis en ce monde.

Heure des repas

Le monde appartient à ceux qui n'ont pas d'heures fixes pour manger.

ANNA DE NOAILLES,
citée par Edmée de La Rochefoucauld
(*Anna de Noailles,* 1976)

Historiographe

À en croire Jacques Attali, un paragraphe supplémentaire s'écrit chaque jour pour le Malet et Isaac du XXIe siècle, quand bien même François Mitterrand n'aurait fait ce jour-là que se moucher.

CATHERINE NAY,
Le Noir et le Rouge

Homme idéal

L'homme idéal est beau, avec une tête bien sur les épaules... de préférence la mienne.

Propos de **MICHÈLE ARNAUD,**
cité dans Carmen Tessier, *Bibliothèque rosse*, I

Homme-objet

Certains hommes sont des godemichets à deux pattes.

SUZANNE LAGIER,
citée par les frères Goncourt,
Journal, novembre 1862

Hommes

Peu de bipèdes, depuis Adam, ont mérité le nom d'homme.

MARGUERITE YOURCENAR,
L'Œuvre au noir

– Mes lieux communs sur les hommes sont : vaniteux comme un homme, intéressé comme un homme, illusionniste comme un homme, traître comme un homme.
– Qu'est-ce qu'ils vous ont fait ?
– À moi, rien. Ils ont fait tout le mal qui est sur la terre et ils s'en vantent.

ELSA TRIOLET,
Les Fantômes armés

Ce ne sont pas les hommes qui comptent dans ma vie, mais la vie qu'il y a dans les hommes.

MAE WEST,
I'm no Angel (1933)

Les femmes n'ont pas plus à compter sur les hommes que les travailleurs n'ont à compter sur la bourgeoisie.

BENOÎTE GROULT

Papa Freud et maman de Beauvoir sont passés par là. Le premier a fourni aux hommes des excuses à leurs faiblesses, la seconde leur a forgé des compagnes différentes.

CHRISTIANE COLLANGE,
Ça va les hommes ?

Homosexualité

Homosexuelle déclarée, **CATHERINE LARA** aime à dire : « La première chose que je regarde chez un homme, c'est sa femme. »

J'ai parlé de mon homosexualité à une période où il était important de faire éclater les tabous, mais je ne suis pas porte-drapeau, les ghettos, je les aime à la crème.

CATHERINE LARA,
interview à *Paris-Match* (2005)

L'humour est tout simplement la vérité, mais plus vite.

GILDA RADNER

Un humoriste n'a pas de camp ou bien il n'est plus un humoriste. Le seul camp qu'il se soit à jamais choisi est celui de l'intelligence.

MARYSE WOLINSKI,
Chambre à part

Peut-être que l'humour envoie en prison, mais c'est aussi l'une des qualités indispensables pour y survivre.

FRIGIDE BARJOT,
interview de Frigide Barjot et de Basile de Koch
(site L'intern@ut, 2005)

L'humour, c'est comme les grenouilles, ça meurt pendant la dissection. Le rire, c'est une émotion, il y a un côté spontané, on ne peut pas tout expliquer, tout analyser et heureusement.

ANNE ROUMANOFF,
dans une interview à France 2

Mon spectacle peut heurter la sensibilité des personnes plaçant leur foi au-dessus de leur sens de l'humour.

SOPHIA ARAM,
Crise de foi

Il n'y a pas d'humour au féminin.

Sylvie Joly,
interview à *La Dépêche* (30 avril 2002)

⚜

L'humour ? Une mission : faire du bien aux gens.

Sylvie Joly,
ibid.

Hypocrisie

On s'efforce en vain de paraître ce qu'on n'est pas.

Christine de Suède,
Maximes et pensées

⚜

L'hypocrisie est sur la société comme la croûte habitable sur la terre.

Dominique André,
Cassandre

⚜

Il est tel degré d'hypocrisie dont il n'y a plus de honte à être dupe, car il faudrait être pervers pour le soupçonner.

Madame Roland,
Portraits et anecdotes, 8 août 1793

⚜

Ma franchise, je me la garde. Si je dois être hypocrite, je préfère me taire. À force de combiner, d'inventer des mensonges, on a

le visage qui se déforme. Ceux qui combinent ont tôt ou tard
la gueule de traviole.

ARLETTY,
Les Mots d'Arletty

Idées

Nous tenons tellement à nos idées que nous consentons à les faire valoir même à nos dépens.

DELPHINE DE GIRARDIN,
Lettres parisiennes

Pas d'idéaux. Juste des idées hautes.

MISS TIC

Idées reçues

Les idées reçues sont des maladies contagieuses.

ESTHER ROCHON,
Aboli

Idéologie

L'idéologie enrichit le théoricien et fait massacrer les disciples.

DOMINIQUE ANDRÉ,
Cassandre

Idiote

D'une femme stupide, incapable de tenir sa langue, **AUGUSTINE BROHAN** disait : « C'est une cruche qui fuit. »

Ignorance

La belle avance que de définir, nommer ou prévoir ce que l'ignorance me permet de tenir pour merveilleux !

COLETTE,
Gigi

On en sait peut-être assez si on sait qu'on ne sait rien.

ADÉLAÏDE DE BLOCQUEVILLE,
Pensées d'hiver

Quand on a vraiment la chance d'ignorer quelque chose, on ignore aussi qu'on a cette chance.

ALICE FERNEY,
La Conversation amoureuse

Illogisme

On passe les douze premiers mois de la vie de nos enfants à leur apprendre à marcher et à parler et les douze suivants à leur dire de s'asseoir et de se taire.

PHYLLIS DILLER

Illusion

Celui-là se croit Kant parce qu'il l'a traduit.

DELPHINE DE GIRARDIN,
L'École des journalistes, I, 5

❧

Il y a des hommes qui pensent qu'en leur qualité d'homme ils sont des hommes de qualité.

LOUISE LEBLANC,
Croque-messieurs

❧

La plus grande folie de l'homme, c'est de croire que les choses arriveront parce qu'il le désire.

LAURE CONAN,
La Sève immortelle

Impersonnalité

Il avait ces trois marques de l'impersonnalité : un menton fuyant, la Légion d'honneur, une alliance.

NATALIE CLIFFORD BARNEY,
Éparpillements

Importance

Je ne crois pas à l'importance de ce que je fais, mais je crois important de savoir ce que je fais.

FRANÇOISE GIROUD

Impossible

Il faut tenter l'impossible pour savoir où le possible finit.

ANNE BARRATIN,
Pensées (dans *Œuvres posthumes*)

Espérons l'impossible car c'est peut-être une bassesse que de mettre son espoir en lieu sûr.

NATALIE CLIFFORD BARNEY,
Pensées d'une Amazone

Impôt

Il n'y a vraiment qu'un seul bien que l'État ne taxe pas, c'est la richesse intérieure.

FRANÇOISE DORIN

Inaction

En général, les gens sont plus intéressants quand ils ne font rien que quand ils font quelque chose.

GERTRUDE STEIN,
Four Saints in Three Acts

Inconstance

L'amour est inconstant par fidélité à un certain idéal.

LUCIE PAUL-MARGUERITTE,
L'Amour en flèches

Indifférence

L'indifférence est une infirmité de l'esprit et du cœur.

FRANÇOISE GIROUD

Infirmités

On s'habitue à ses infirmités, le plus difficile est d'y habituer les autres.

SOPHIE D'HOUDETOT

Injure

Je n'injurie jamais, monsieur, je diagnostique.

AMÉLIE NOTHOMB,
Hygiène de l'assassin

Injustice

Le soin de me soustraire à l'injustice me coûte plus que de la subir.

MADAME ROLAND,
Mémoires, juin 1793

Insémination

L'insémination artificielle ? Tu te vois expliquer à ton chiard que son vieux est une seringue ?

MARIANNE SERGENT,
La France, ta fierté fout l'camp !

Insoluble

Comment leur mettre le nez dans la crotte, quand ils ne voient ni que c'est de la crotte, ni que c'est leur crotte ?

ELSA TRIOLET,
Proverbes d'Elsa

Intellectuel

Comment peut-on aimer un intellectuel ? Ils ont une balance à la place du cœur et une petite cervelle au bout de la queue.

SIMONE DE BEAUVOIR,
Les Mandarins

Intelligence

Pour mesurer l'esprit, nous pesons les crânes. C'est comme si l'on mangeait des peaux de raisin pour trouver le bouquet du vin.

CARMEN SYLVA,
Les Pensées d'une reine

Un homme intelligent à pied va moins vite qu'un sot en voiture.

DELPHINE DE GIRARDIN

Il y a deux catégories d'êtres intelligents : ceux dont l'esprit rayonne et ceux qui brillent. Les premiers éclairent leur entourage, les seconds le plongent dans les ténèbres.

MARIE VON EBNER-ESCHENBACH,
Aphorismes

Il est évident qu'une femme complète qui a, à la fois, une sexualité et une intelligence... c'est difficile à accepter !

ERICA JONG,
Entretien avec Sophie Lannes, juillet-août 1978

Tous les observateurs vous diront que la femme intelligente est masculine. Ainsi, depuis que je suis licenciée en philosophie, mes jambes sont devenues poilues et j'ai perdu ma pudeur.

HÉLÈNE DEUTSCH

Au nom de l'intelligence, je pardonne ses rosseries à mon compagnon. Je le préfère intelligent contre moi que sot pour moi.

MARGUERITE GRÉPON,
Lotissement-journal

Intention

On le sait, que c'est l'intention qui compte, mais ça aide de la farcir d'un brin de discernement, de temps en temps.

ANTONINE MAILLET,
Pélagie-la-Charette

Interdits

On ne peut plus fumer, on ne peut plus boire, on ne peut plus baiser, bientôt on ne pourra plus péter.

GENEVIÈVE DORMANN

Internet

Internet : on ne sait pas ce qu'on y cherche mais on trouve tout ce qu'on ne cherche pas.

ANNE ROUMANOFF

Intrigant

L'intrigant a du jarret dans l'esprit.

ANNE BARRATIN,
De vous à moi

Ironie

L'ironie est la perfidie de la gaieté.

COMTESSE DIANE,
Les Glanes de la vie

L'ironie tue. C'est une arme dont il ne faut pas se servir.

CLAIRE DE LAMIRANDE

L'ironie, c'est le courage des trouillards !

CATHERINE RIHOIT,
entretien avec Bernard Pivot, avril 1980

Jalousie

Un jaloux trouve toujours plus qu'il ne cherche.

MADELEINE DE SCUDÉRY

Les hommes sont aussi jaloux sur le chapitre de l'esprit que les femmes sur celui de la beauté.

MARIE DU DEFFAND

La jalousie est un hommage maladroit que l'infériorité rend au mérite.

MADELEINE DE PUISIEUX

C'est louer certaines personnes que de dire qu'elles jalousent le mérite d'autrui : c'est les croire capables de l'apprécier.

CLAUDIA BACHI,
Feuilles au vent

La jalousie est dans l'amour comme le poivre dans un plat : il en faut, mais la juste dose.

MARIE BONAPARTE

La jalousie est la même pour un cultivateur de la Gironde que pour un intellectuel parisien.

FRANÇOISE SAGAN,
Réponses

Jambes

Mes jambes ne sont pas si belles que ça. Je sais juste quoi en faire.

MARLENE DIETRICH

D'une dame qui avait les jambes torses, **MARGUERITE MORENO** disait : « Elle a des jambes Henri II. »

Propos cité par **PAUL LÉAUTAUD,**
dans son *Journal littéraire*

Jeunesse

On est jeune une seule fois, mais on peut être immature à jamais.

GERMAINE GREER

L'acteur Paul Mounet aimait la jeunesse, c'est pourquoi la sienne dura toute sa vie.

MARGUERITE MORENO,
Souvenirs de ma vie

Pas d'illusion : le seul moyen de faire jeune, c'est de l'être vraiment !

FRANÇOISE DORIN,
Pique et cœur

Il y a deux âges pour faire des bêtises, la jeunesse parce qu'on a tout le temps devant soi ; la vieillesse parce qu'il n'en reste plus beaucoup.

JANINE BOISSARD,
Claire et le Bonheur

Jeux de mots

Le marquis de Bièvre était, au XVIIIe siècle, réputé pour sa pratique des calembours et son goût pour les femmes. Un jour, dans un salon :
Une femme. – M. de Bièvre, faites donc un calembour sur moi.
SOPHIE ARNOULD. – Attendez qu'il y soit !

À la Libération, **ARLETTY** fut accusée d'avoir eu une relation amoureuse avec un officier allemand. Au début de l'interrogatoire, le juge d'instruction lui demanda des nouvelles de sa santé. « Pas très résistante ! » répondit l'actrice.

Je méditerai
Tu m'éditeras.

LOUISE DE VILMORIN,
L'Alphabet des aveux

Attention! Celui-là, il est complètement piqué des mystiques.

CATHERINE LARA

Parodie de paradis
Ou envers de l'enfer
Ma vie n'est pas une vie
Je vendrais Terre et Mer
Pour avoir l'essentiel.
« Passe-moi l'ciel! »…

CATHERINE LARA,
chanson-titre de l'album *Passe-moi l'ciel!* (2005)

Oui, j'ai une vie privée… privée de tout… c'est vrai, mais privée quand même.

MURIEL ROBIN,
sketch «La solitude»

Joue tendue

Si vous tendez l'autre joue, que ce soit pour mieux reconnaître et assommer celui qui veut en profiter.

NATALIE CLIFFORD BARNEY,
Pensées d'une Amazone

Journalisme

Le journalisme : une aptitude à relever le défi de remplir de l'espace.

REBECCA WEST

Juger

Ne jugez pas de peur d'être jugé pour avoir jugé autrui.

FLORENCE KING

Justice

La justice ressemble à une vierge déguisée ; elle est sollicitée par le plaideur, tourmentée par le procureur, cajolée par l'avocat, et soutenue par le juge, qui finit par la violer.

SOPHIE ARNOULD

Lâcheté

Ce que nous prenons pour de la cruauté chez l'homme n'est presque toujours que de la lâcheté.

MARCELLE AUCLAIR,
L'Amour

Je ne sais pas si le cœur des femmes est plein de surprises mais celui des hommes est bien monotone dans sa lâcheté !

FRANÇOISE PARTURIER

Laideur

Le prince de Conti, qui n'a rien d'un Adonis, part en voyage et dit à sa femme :
– Madame, je vous recommande surtout de ne pas me tromper pendant mon absence.

– Monsieur, n'ayez aucune crainte ; je n'ai envie de vous tromper que lorsque je vous vois.

⚜

La laideur est la meilleure gardienne d'une jeune fille, après sa vertu.

MADAME DE GENLIS,
Pensées diverses

⚜

PAULINE DE METTERNICH se moquait ainsi de son propre physique : « Je ne suis pas jolie, je suis pire ! »

⚜

Pourquoi décrire *le laid*, quand *le beau* n'est pas encore épuisé ?

CARMEN SYLVA,
Les Pensées d'une reine

⚜

Je n'ai jamais pu faire un concours de beauté : on me colle toujours dans le jury.

PAULINE CARTON

⚜

Un homme qui possède un compte chez Cartier ne peut être considéré comme laid.

CAROLINE OTERO,
Souvenirs et vie intime

⚜

De son mari, le riche armateur Aristote Onassis, **MARIA CALLAS** aurait dit : « Il est beau comme Crésus. »

⚜

Il n'y a pas de femmes laides, il n'y a que des femmes paresseuses.

HELENA RUBINSTEIN

⚜

Ce sont toujours les mochetés qui critiquent le physique des autres mochetés.

AMÉLIE NOTHOMB,
Péplum

Laïus

Les longs discours n'avancent pas plus les affaires qu'une robe traînante n'aide à la course.

MADELEINE DE SCUDÉRY

Langue française

C'est une langue bien difficile que le français. À peine écrit-on depuis quarante-cinq ans qu'on commence à s'en apercevoir.

COLETTE,
Journal à rebours

Larmes

« Quelles que soient les larmes qu'on pleure, dit un proverbe, on finit toujours par se moucher », alors autant se moucher tout de suite !

FRANÇOISE DORIN,
L'Âge en question

Législation

Les lois sont dangereuses quand elles retardent sur les mœurs. Elles le sont davantage lorsqu'elles se mêlent de les précéder.

MARGUERITE YOURCENAR,
Mémoires d'Hadrien

Libération des femmes

Il paraît que les hommes ont perdu leurs repères depuis la libération des femmes. Leurs repères, c'était donc la non-libération des femmes ?

ISABELLE ALONSO,
Et encore, je m'retiens !

✣

L'histoire de la résistance des hommes à l'émancipation des femmes est encore plus instructive que l'histoire de l'émancipation des femmes.

VIRGINIA WOOLF

Liberté

« La liberté, c'est l'homme », a écrit Michelet. Nous ne voudrions pas contrarier le grand Michelet qui doit avoir ses grandes raisons, mais on voit bien qu'il n'a jamais épousé un homme...

ANNE-MARIE CARRIÈRE,
Dictionnaire des hommes

✣

On a aussi peu de liberté maintenant qu'il y a vingt ans : faire l'amour était alors interdit aux jeunes filles ; maintenant, c'est presque devenu obligatoire. Les tabous sont les mêmes.

Françoise Sagan,
entretien avec Jacques Jaubert (février 1979)

– Vous êtes libre ce soir ?
– Oui, mais permettez-moi de le rester.

Chantal Thomas,
Comment supporter sa liberté

L'amour, c'est un moyen comme un autre de priver quelqu'un de sa liberté – c'est rien d'autre !

Tonie Marshall,
Vénus Beauté (institut)

Être libre, quand ce ne serait que pour changer sans cesse d'esclavage.

Natalie Clifford Barney,
Éparpillements

Les femmes portent encore le collier du servage autour du cou.

Geneviève Fraisse

Lire

Beaucoup lisent pour dire « J'ai lu ». Et d'autres pour dire « J'ai pensé ».

AUGUSTA AMIEL-LAPEYRE,
Pensées sauvages

❀

J'espère que ce livre ne sera jamais lu.

Première phrase de *Feux*,
livre de jeunesse de MARGUERITE YOURCENAR

Lit

To bed or not to bed ?

FRANÇOISE PARTURIER,
Les lions sont lâchés

❀

Dans certains cas, il faut boire le couple jusqu'au lit.

LOUISE LEBLANC,
Croque-messieurs

❀

La femme est un roseau couchant.

ANNE-MARIE CARRIÈRE,
Dictionnaire des hommes

❀

À la Belle Époque, deux comédiennes parlent d'une troisième, aux mœurs légères, qui a été malade :

– Comment va Paulette?
– Mieux, elle a pu se remettre au lit!

On ne se console du sentiment de la fugitivité qu'au couvent ou au lit.

FRANÇOISE PARTURIER,
Les lions sont lâchés

Depuis l'âge de la puberté
J'rêvais d'expression corporelle
Maint'nant qu'il m'a tout expliqué
J'ai renoncé à Paul Claudel.
Et lorsque j'enlève mon corsage
J'ai moi aussi mon p'tit message...

L'alibi de la libido
Me sécurise, c'est curieux,
Vaincre un tabou, c'est un boulot!
La thérapie s'apprend au pieu!

FRANÇOISE MALLET-JORIS, MICHEL GRISOLIA,
«L'alibi de la libido»

Un homme. – Le ciel de votre lit est un bien beau dôme!
SOPHIE ARNOULD. – Oui, mais ce n'est pas celui des Invalides.

Si les hommes politiques ne viennent plus dans mon lit, qu'ils viennent au moins à mon exposition !

AMANDA LEAR,
France-Soir (janvier 1990)

Littérature

Que notre vie n'ait pas de valeur artistique, c'est très possible. Raison de plus pour que la littérature en ait une.

AMÉLIE NOTHOMB,
Les Combustibles

❧

Qui écrirait tout ce que disent quinze ou vingt femmes ensemble ferait le plus mauvais livre du monde.

MADELEINE DE SCUDÉRY

❧

Tel auteur n'estime un ouvrage qu'en proportion de la peine qu'il a eue à le comprendre.

MADAME DE GENLIS,
Pensées diverses

❧

Je n'ai eu aucun problème pour publier mes premiers manuscrits. C'est devenu difficile plus tard, lorsqu'ils étaient meilleurs. C'est étonnant, non ?

NANCY HUSTON

❧

Il faut, avec les mots de tout le monde, écrire comme personne.

COLETTE

Les bons sentiments ne font pas de bons livres, je sais ça par cœur, mais les mauvais sentiments ne font pas forcément de mauvais livres.

ELSA TRIOLET,
Proverbes d'Elsa

Plus je lis de choses sur le plagiat, plus j'en viens à penser que la littérature est une énorme poubelle de recyclage.

ANNE FADIMAN,
Ex-Libris

Lumière

Au début, il n'y avait rien. Dieu dit : « Que la lumière soit ! » et la lumière fut. Il n'y avait toujours rien, mais on le voyait bien mieux.

ELLEN DEGENERES

On peut répandre la lumière de deux façons : être la bougie, ou le miroir qui la reflète.

EDITH WHARTON

Luxe

Le luxe, ce n'est pas le contraire de la pauvreté mais celui de la vulgarité.

COCO CHANEL

Maigreur

SOPHIE ARNOULD, au sujet de la danseuse Marie-Madeleine Guimard, fort mince et courtisée par deux hommes : « Je crois voir deux chiens qui se disputent un os. »

Un homme prenait congé d'**AUGUSTINE BROHAN** en l'informant qu'il se rendait chez Rachel, petite et filiforme : « C'est vrai, nous sommes aujourd'hui vendredi. Je ne savais pas que vous fissiez maigre ! »

À quelqu'un qui conseillait à **SARAH BERNHARDT** de s'extraire, un instant, de l'agitation ambiante, bref de « rentrer en elle-même », la comédienne, qui se moquait de sa propre maigreur, rétorqua : « Je ne peux pas, il n'y a pas de place. »

Sarah Bernhardt est la seule tragédienne que je connaisse qui puisse se draper dans une ficelle.

MARGUERITE MORENO

D'une vedette de cinéma très maigre, la comédienne Berthe Bovy disait : « Elle est vraiment trop plate ! », et sa collègue **SUZET MAÏS** d'ajouter : « Et pourtant, elle tourne ! »

Seigneur, délivrez-nous de ces filles sans fesses
Qui regardent les nôtres avec réprobation.
Seigneur, délivrez-nous de ces tristes drôlesses,
Ou donnez-nous au moins quelques compensations.
[...]
Seigneur, gardez-vous bien de leur donner des fesses :
Nous porterons les nôtres avec sérénité.
Seigneur, ne croyez pas surtout que ça nous blesse :
Abondance de biens n'a jamais rien gâté.

ANNE SYLVESTRE,
« Plate prière »

Un journaliste balourd. – Est-ce que les gens maigres ont plus d'esprit que les autres ?
MARGUERITE MORENO. – Oui, mon gros !

Oui, j'aurais pu, comme vous
Ou comme toi, être ronde, ronde,
Mais c'est foutu, c'est classé,
Car Dieu m'a préférée longue, longue.
Pour c'que j'ai à faire, ça m'gêne pas.
On peut pas s'refaire, jeune ou pas.
Passez donc la main,
La main dans la main, et viens.

BARBARA,
« Gueule de nuit »

Maisons closes

Fermer les maisons closes, c'est plus qu'un crime, c'est un pléonasme.

ARLETTY,
Les Mots d'Arletty

Maîtres

Il y a dans le monde telles positions qui donnent pour maîtres des hommes dont on ne voudrait pas pour laquais.

MARGUERITE-RENÉE DE ROSTAING

Maîtresse femme

Ma grand-mère était une femme coriace : elle a enterré trois maris – et deux d'entre eux étaient seulement assoupis.

RITA RUDNER

Les hommes préfèrent les pestes parce qu'ils adorent les femmes de caractère, seules capables d'exalter leur destinée. Prenez un homme moderne et accouplez-le avec une carpette : en moins d'une décennie, il engraisse au carré de porc boulangère, couperose au minervois, et termine préposé aux fournitures, à moitié chauve.

LAURENCE COCHET,
Y a-t-il de la place pour deux dans un couple ?

Maladies

Les hommes ne sont pas encore guéris de la *mâladie.*

LOUISE LEBLANC,
Croque-messieurs

La folie est une maladie héréditaire. Elle peut vous êtes transmise par vos enfants.

ERMA BOMBECK

Maladies mentales

Les névrotiques construisent des châteaux en Espagne, les psychotiques y vivent. Ma mère y fait le ménage.

RITA RUDNER

Mâle

Dans la bouche de l'homme, l'épithète « femelle » sonne comme une insulte ; pourtant, il n'a pas honte de son animalité, il est fier au contraire si l'on dit de lui : « C'est un mâle ! »

SIMONE DE BEAUVOIR,
Le Deuxième Sexe

Malheur

Toutes les conditions, toutes les espèces me paraissent également malheureuses, depuis l'ange jusqu'à l'huître ; le fâcheux, c'est d'être né, et l'on peut pourtant dire de ce malheur-là que le remède est pire que le mal.

MARIE DU DEFFAND,
Lettre à Voltaire

⚜

Le seul avantage du malheur, c'est qu'il tue tous les petits chagrins qui agitent la vie.

JULIE DE LESPINASSE,
propos cité par Louis de Montchamp,
L'Esprit des femmes célèbres

⚜

Comme sa gamme est plus riche, le malheur nous attire plus que le bonheur.

MADELEINE FERRON,
La Fin des loups-garous

⚜

Il préférait avoir été malheureux pour une bonne raison qu'heureux pour une mauvaise.

FRANÇOISE SAGAN,
Aimez-vous Brahms ?

⚜

– Tu es heureux ?
– Oui, je suis heureux.

– Tu as de la chance, parce qu'il y en a qui sont malheureux et qui veulent en faire profiter les autres.

JOSIANE BALASKO,
Cliente

❦

Les hommes ont toujours eu beaucoup de courage pour supporter les malheurs des femmes.

FRANÇOISE GIROUD,
dans *L'Express*, 1956

Maltraitance

Les experts disent qu'on ne devrait jamais frapper un enfant quand on est en colère... Alors, c'est quand le bon moment? Quand on est guilleret?

ROSEANNE BARR

Maman

Il n'y a plus d'enfants... mais il y a toujours des mamans.

LAURENCE JYL,
Sainte Maman

Mari

Les amants doivent toujours être de beaux hommes, mais les maris... comme il plaît à Dieu!

MADAME DE MAINTENON

Combien de maris sont redevables à leurs amis de la fécondité de leurs femmes!?

SOPHIE ARNOULD

⚜

Mon époux est le modèle des maris : il ne voit rien et il n'entend rien.

COMTESSE DE CASTIGLIONE

⚜

De tous les hommes que je n'aime pas, c'est certainement mon mari que je préfère.

GERMAINE DE STAËL

⚜

Combien de maris j'ai eus ? Vous voulez dire en dehors des huit miens ?

ZSA ZSA GABOR

⚜

Il est presque impossible de rendre heureux son propre mari ; c'est infiniment plus facile avec le mari d'une autre.

ZSA ZSA GABOR

⚜

– Mademoiselle Harlow, piqueriez-vous le mari d'une femme ?
– Pourquoi voler quelque chose dans un magasin d'occasions ?!

JEAN HARLOW,
à une conférence de presse pour *Les Anges de l'enfer*

❦

L'époux – ce coq légitime – ne sait que trop qu'il est toujours le mâle nécessaire.

ANNE-MARIE CARRIÈRE,
Dictionnaire des hommes

❦

Mon mari a dit qu'il avait besoin de plus d'espace, alors je l'ai enfermé dehors.

ROSEANNE BARR

❦

Les maris ? Depuis qu'on a inventé les valises à roulettes, je vois vraiment pas à quoi ça sert.

LISA AZUELOS,
Comme t'y es belle !

❦

Contre Job autrefois le démon révolté
Lui ravit ses enfants, ses biens et sa santé.
Mais pour mieux l'éprouver et déchirer son âme
Savez-vous ce qu'il fit ?... Il lui laissa sa femme.

MADELEINE DE SCUDÉRY,
épigramme citée par Pierre Larousse,
Grand Dictionnaire universel du XIXᵉ siècle

❦

Je fais le gosse
Je fais le thé
Je bois la tasse
Et je me tais
Tu fais négoce
De poupées culottées
Qui n'ont de cesse
Que de l'enlever
Femme et maîtresse
Le mâle est fait

Ainsi font
Et puis se défont
Les maris honnêtes
Moi je regrette.

ZAZIE,
« Craque monsieur »

Mariage

Le pays du mariage a ceci de bouffon que les filles ont envie d'y courir et que les femmes qui l'habitent rêvent d'exil.

MARQUISE DE SÉVIGNÉ,
Correspondance

La majorité des femmes mariées se plaignent de leur mari. La majorité des femmes non mariées se plaignent de ne pas avoir de mari. Donc le problème, c'est pas le mari, c'est la femme.

CHRISTINE VAN BERCHEM,
citée sur Internet

L'esprit au féminin

Le mariage est un véritable éteignoir de tout ce qui est grand et qui peut avoir de l'éclat.

JULIE DE LESPINASSE,
Lettre à M. de Guibert, 23 octobre 1774

La femme qui se marie met la main dans un sac où il n'y a qu'une anguille sur une centaine de serpents ; il y a cent à parier contre un que, au lieu de l'anguille, c'est un serpent qu'elle prendra.

SOPHIE ARNOULD

Quand une fille se marie, elle échange les attentions de plusieurs hommes pour l'inattention d'un seul.

HELEN ROWLAND,
Réflexions d'une célibataire

Le mariage... cette connivence un peu blette de vieux amants qui n'ont pas attendu la mort pour commencer à pourrir ensemble.

MARGUERITE YOURCENAR

Le mariage, c'est comme le menu des restaurants : il faut attendre la digestion pour savoir si on a fait le bon choix.

ELIZABETH TAYLOR

À Hollywood, un mariage est réussi quand il dépasse la date de péremption du lait.

RITA RUDNER

Les liens du mariage, c'est ça. Une grosse corde bien attachée pour s'étouffer ensemble.

ANNE HÉBERT,
Kamouraska

Le mariage, c'est se mettre à deux
Pour affronter tout's les galères
Qu't'aurais pas eues célibataire.

AGNÈS BIHL,
« À ton mariage »

✤

Nous avons un petit différend. Moi, je veux un grand mariage à l'église avec demoiselle d'honneur, fleurs et réception à tout casser. Lui, il veut qu'on se sépare.

SALLY POPLIN

✤

Certaines fiançailles se terminent bien, mais, dans la plupart des cas, les deux parties se marient.

SALLY POPLIN

✤

Et puis, entre nous... convenons d'une chose : si le mariage était défendu, nous lui découvririons aussitôt mille douceurs.

DANIEL DARC,
Petit bréviaire du Parisien

Marionnettes

Les marionnettes n'amusent que les enfants et les gens d'esprit.

GEORGE SAND

Marivaudage

L'homme. – Je peux vous embrasser ?
La femme. – Vous m'en voudrez beaucoup si je refuse pas ?

ISABELLE DE BOTTON, SOPHIE DESCHAMPS,
À trois c'est mieux

Masochisme

Il faut être masochiste pour vouloir gagner ce qui nous est donné.

MADELEINE FERRON,
Le Baron écarlate

Maternité

La maternité est la chose la plus étrange qui soit ; c'est comme si on était son propre cheval de Troie.

REBECCA WEST

Certaines femmes disent que le jour de l'accouchement est le plus beau de leur vie... Je me demande à quoi ressemblent les autres jours de leur vie!

FLORENCE FORESTI,
Mother Fucker, sketch «L'accouchement»

Si la grossesse était un livre, on en couperait les deux derniers chapitres.

NORA EPHRON,
La Brûlure

Toutes les femmes ne sont pas faites pour être mères: quelle allure aurait la *Victoire de Samothrace* si elle devait arrêter son essor pour mettre bas?

NATALIE CLIFFORD BARNEY,
Pensées d'une Amazone

Que l'enfant soit la fin suprême de la femme, c'est là une affirmation qui a tout juste la valeur d'un slogan publicitaire.

SIMONE DE BEAUVOIR

Eddie (à sa fille Saffy). – Oh! chérie, maman t'aime. Le jour de ta naissance, j'ai su que je te désirais...
Patsy (son amie). – Par contre, le lendemain...

JENNIFER SAUNDERS,
Absolutely Fabulous

Mauvaise foi

Les hommes désapprouvent toujours ce qu'ils ne sont pas capables de faire.

CHRISTINE DE SUÈDE,
Maximes et pensées

Mauvais goût

Je sais, c'est de mauvais goût ! Mais je trouve que, à force d'avoir bon goût, on s'emmerde !

FLORENCE FEYDEL

Maux

Entre deux maux, je choisis toujours celui que je n'ai jamais essayé.

MAE WEST,
Klondike Annie (1936)

Méchant

Il est des femmes si méchantes qu'elles mériteraient d'être des hommes.

FRANÇOISE DORIN,
Les Bonshommes

Il n'y a pas de filles bien qui ont mal tourné, simplement des méchantes qui se sont trouvées.

MAE WEST,
On Sex, Health and ESP

On rougit plus d'une sottise que d'une méchanceté ; et peut-être a-t-on raison : les sots sont sots sans ressource, les méchants peuvent devenir bons.

MADELEINE DE PUISIEUX,
Les Caractères

(À propos d'une bigote très méchante :) «Elle vous jetterait du vitriol au bout d'un goupillon.»

MARIE ABBATUCCI,
citée par les Goncourt, *Journal*, 1862

Je suis bilingue en méchanceté,
Langue de pute et langue de vipère.
Je suis méchante
Quand ça me chante.
Je suis méchante
Mais chiante !

AGNÈS BIHL,
«Méchante»

Médecin

À un médecin de campagne qui va chez un patient en emportant un fusil pour chasser en chemin :
SOPHIE ARNOULD. – Vous avez peur de le rater ?

AUGUSTINE BROHAN discute avec une amie :
– Augustine, ce médecin est très drôle, il prend gaiement la vie.
– Oui, la vie des autres !

Ne consultez jamais chez un docteur dont les plantes de la salle d'attente sont mortes.

ERMA BOMBECK

J'allais consulter pour une opération de chirurgie esthétique quand j'ai remarqué que le cabinet du docteur était plein de tableaux de Picasso.

RITA RUDNER

« Excusez-moi, docteur Péro, où est-ce qu'on injecte le collagène pour combler le vide existentiel ? »

MAÏTENA,
Les Déjantées

Je ne me querelle plus avec les médecins ; leurs sots remèdes m'ont tuée ; mais leur présomption, leur pédantisme hypocrite est notre œuvre : ils mentiraient moins si nous n'avions pas si peur de souffrir.

MARGUERITE YOURCENAR,
Mémoires d'Hadrien

Les livres de médecine et les livres de morale diffèrent en ceci : nous croyons avoir les maladies décrites par les premiers et nous ne reconnaissons pas nos défauts dans les seconds.

MARIE VALYÈRE,
Nuances morales

Médiocres

Les gens médiocres arrivent à tout parce qu'ils n'inquiètent personne.

DANIEL DARC,
Petit bréviaire du Parisien

Médisance

Que de gens resteraient muets, s'il leur était défendu de dire du bien d'eux-mêmes et du mal d'autrui !

MADAME DE FONTAINES

On répète les médisances, en citant leur auteur, pour s'en donner le plaisir sans danger.

MADELEINE DE PUISIEUX,
Les Caractères

On médit plus d'un ami que d'un ennemi. On le connaît mieux.

LUCIE PAUL-MARGUERITTE,
Paillettes

M. de Chateaubriand est si bête que, si je n'étais pas là, il ne dirait du mal de personne.

CÉLESTE DE CHATEAUBRIAND

D'une mondaine qui faisait des réceptions où l'on médisait beaucoup, **AUGUSTINE BROHAN** disait : « On y dîne si mal ! Ce serait à mourir de faim si l'on n'y mangeait pas son prochain. »

Si on retranchait de la conversation la médisance, les lieux communs, la fatuité, quel silence !

CLAUDIA BACHI,
Coups d'éventail

ALICE LONGWORTH-ROOSEVELT avait, dans son salon, un fauteuil sur lequel était posé un coussin avec cette inscription brodée : « Si vous n'arrivez pas à dire du bien de quelqu'un, asseyez-vous là ! »

Mémoire

La mémoire est aussi menteuse que l'imagination, et bien plus dangereuse, avec ses petits airs studieux.

FRANÇOISE SAGAN

Lui. – Je n'arrive pas à me souvenir de la dernière fois où on a eu des rapports.
Elle. – Moi, si, et c'est pour ça qu'on ne fait plus l'amour.

ROSEANNE BARR

Ménage à faire

Une excellente ménagère est toujours au désespoir. Souvent on aimerait la maison moins bien tenue et plus paisible.

CARMEN SYLVA,
Les Pensées d'une reine

⚜

Je ne me considère pas comme une femme de maison, pour la bonne raison que je n'ai pas épousé une maison.

WILMA SCOTT HEIDE

⚜

Je déteste les tâches ménagères ! Vous faites les lits, vous faites la vaisselle et, six mois plus tard, vous devez tout recommencer.

JOAN RIVERS

⚜

Nettoyer une maison pleine d'enfants est aussi efficace que de dégager une allée à la pelle pendant une tempête de neige.

PHYLLIS DILLER

⚜

Je ne passerai pas l'aspirateur tant qu'une marque n'en aura pas fabriqué un sur lequel on puisse s'asseoir.

ROSEANNE BARR

⚜

À son mari qui lit le journal, une femme dit, en tendant un balai: « Avant de changer le monde, commence par faire le ménage chez toi ! »

CATHERINE BEAUNEZ

⚜

Le ménage du monde est comme celui d'un logement, il faut recommencer tous les jours.

ELSA TRIOLET,
Les Fantômes armés

⚜

Puisque la femme n'est qu'une ménagère, n'a-t-on pas besoin d'elle dans ce grand ménage mal administré qu'on nomme État ?

MAÏTÉ ALBISTUR,
L'Histoire du féminisme français du Moyen Âge à nos jours

Meneur

Un homme sur 1 000 est un meneur d'hommes. Les 999 autres sont des suiveurs de femmes.

ANNA MAGNANI,
citée par Carmen Tessier, <i>Bibliothèque rosse</i>, tome I</div>

Mensonge

Le mensonge ne tient debout qu'en s'appuyant sur un autre.

ANNE BARRATIN,
De vous à moi

⚜

Elle. – Je ne sais pas mentir.
Lui. – Tu te sous-estimes.

MARCELLE AUCLAIR,
L'Amour

⚜

Les hommes sont tellement menteurs qu'ils ont réussi à faire croire qu'ils étaient francs.

LOUISE LEBLANC,
Croque-messieurs

⚜

Pas besoin d'intérêt pour mentir. Le plaisir suffit.

AMÉLIE NOTHOMB,
Péplum

⚜

Les Français se croient plus sincères que leurs femmes parce qu'ils mentent moins bien.

MICHELINE SANDREL,
Dictionnaire de ces sacrés Français

⚜

Il y a des gens qui n'ont pas le temps d'être hypocrites, ils ne sont que menteurs.

MYRIAM LE BARGY,
Démaquillages

⚜

Quand j'écoute Chirac, je pense toujours à cette phrase de Courteline : « Il ment tellement que l'on ne peut même pas croire le contraire de ce qu'il dit... »

MARIE-FRANCE GARAUD

Méprise

Que de femmes molles passent pour être douces !

ÉMILIE DU CHÂTELET

⚜

Une comédienne, collectionneuse d'amants, se confiait à **AUGUSTINE BROHAN** :
– Augustine, à force de me voir jouer les travestis, la moitié de Paris va croire que je suis un homme.
– Rassure-toi, l'autre moitié sait le contraire !

Mer

La mer : une grande dame qui prend trop ses aises. Elle n'a pas besoin de tant de place pour produire la moule et l'oursin.

LUCIE PAUL-MARGUERITTE,
Paillettes

Mercedes

Les Mercedes sont des voitures de charcutiers, de charcutiers qui rotent.

FANNY JOLY,
La Si Jolie Vie de Sylvie Joly

Méridionaux

Les méridionaux, ces boussoles à rebours indiquant toujours le Midi.

NATALIE CLIFFORD BARNEY,
Éparpillements

Mérite

Son petit mérite se meut et frétille dans sa grande vanité comme le goujon dans la rivière.

MARIE VALYÈRE,
Nuances morales

Métamourphose

L'amour rend souvent bêtes les gens d'esprit, pourquoi faut-il qu'il ne produise pas le miracle inverse ?

DANIEL DARC,
Petit bréviaire du Parisien

Mieux

Il ne faut pas vouloir le mieux : en jouant du violon, on remarque que c'est du grincement que provient le son.

NATALIE CLIFFORD BARNEY,
Pensées d'une Amazone

Mieux vaut

Il vaut mieux reverdir que d'être toujours vert.

MARQUISE DE SÉVIGNÉ,
Lettres à Mme de Grignan, 7 juin 1675

Je préfère que les hommes aient quelque chose entre les deux oreilles et pas ailleurs. Avec moi, il vaut mieux avoir de la conversation.

CATHERINE JACOB,
interview à *Télé Star* (septembre 2011)

Il vaut mieux que le ridicule consiste dans l'exagération un peu niaise du bon que dans l'élégante exagération du mal.

GERMAINE DE STAËL

Militaires

Une femme soldat, pour moi, c'est un troisième sexe.

ARLETTY,
Les Mots d'Arletty

Télégramme envoyé par **LOUISE DE VILMORIN** à l'écrivain Jean-François Josselin, appelé en Algérie pour son service militaire :
Tant que vous serez à l'armée,
Je serai alarmée.

Les petits mecs crachent sur l'armée et courent aux puces se déguiser en troufions avec les habits qui restent des vieilles guerres.

GENEVIÈVE DORMANN,
Mickey l'Ange

Mime

À propos de *Braveheart* (film de Mel Gibson), l'actrice **SOPHIE MARCEAU** déclara : «Vous avez entendu mon dialogue dans *Braveheart*? Ils ont dû me confondre avec le mime Marceau!»

❖

COLETTE fut émerveillée par Jacques Tati, qui débuta avec un numéro de mime : «Tati, cet étonnant artiste qui a inventé [...] d'être ensemble le joueur de tennis, la balle et la raquette.»

Chronique du 23 juin 1938,
citée par **JEAN CHALON**, *Colette, l'éternelle apprentie*

Miroir

Dans un salon, on demandait à Alexis Piron (1689-1773) la différence entre un miroir et une femme :
– C'est qu'un miroir réfléchit sans parler et qu'une femme parle sans réfléchir !
– Et connaissez-vous, riposta une dame, la différence entre un miroir et un homme ?... Ah! monsieur Piron, vous ne répondez pas! Eh bien, c'est qu'un miroir est poli et qu'un homme ne l'est pas toujours.

Mode

Les femmes seraient au désespoir si la nature les avait faites telles que, parfois, la mode les arrange.

JULIE DE LESPINASSE,
propos cité par Louis de Montchamp,
L'Esprit des femmes célèbres

❖

Les femmes nulles suivent la mode, les prétentieuses l'exagèrent, mais les femmes de goût pactisent généralement avec elle.

ÉMILIE DU CHÂTELET

La mode : la recherche d'un ridicule nouveau.

NATALIE CLIFORD BARNEY,
Éparpillements

La mode se démode, le style jamais.

COCO CHANEL

Dire que la mode, autrefois, c'était une manière personnelle de penser, d'agir. Chacun vivait à sa mode, à sa façon. Aujourd'hui, c'est tout le contraire. C'est le collectif, la mode ; c'est l'énorme troupeau bêlant des brouteurs de formules, de slogans, qui trottinent tête baissée, front contre cul, sur les talons du berger aux yeux fixés sur l'étoile, sur la galaxie libérale.

CLAUDE SARRAUTE,
Dites donc!

Modestie

La modestie est l'art de se faire dire par les autres le bien qu'on n'ose pas dire de soi-même.

MARIE VALYÈRE,
Nuances morales

Il faut que les modestes connaissent bien leurs qualités pour les cacher si adroitement.

MARIE VALYÈRE,
ibid.

Monde

La seule bonne manière d'agir dans le monde est d'être avec lui, sans être à lui.

ANNE-SOPHIE SCHWETCHINE,
Pensées

Monotonie

On peut auprès de certaines gens faire une cure de monotonie : ce n'est pas à dédaigner.

ANNE BARRATIN,
De vous à moi

J'ai toujours vécu de contrastes ! Pour moi, il n'y a qu'une seule mort, c'est la monotonie. Attention à la monotonie, c'est la mère de tous les péchés mortels !

EDITH WHARTON

Montagne

Quand on a marché deux heures dans une montagne, on est plus intelligent.

COLINE SERREAU,
La Belle Verte

Moquerie

La moquerie n'est souvent qu'un sentiment vulgaire traduit en impertinence.

GERMAINE DE STAËL

La moquerie nuit essentiellement à ce qui est bon, mais point à ce qui est fort.

GERMAINE DE STAËL

La moquerie est l'esprit des sots, la stérilité est son domaine.

CLAUDIA BACHI,
Coups d'éventail

Morale

Nous aimons la morale quand nous sommes vieux parce qu'elle nous fait un mérite d'une foule de privations qui nous sont devenues une nécessité.

CONSTANCE DE SALM-DYCK

Lui. – Qu'est-ce que tu appelles être d'une moralité douteuse ?
Elle. – Douter de la morale des autres.

MARGUERITE DURAS,
Hiroshima mon amour

La moralité est faite pour les pauvres. Pour les mieux tenir.

CHRISTINE ARNOTHY,
Un type merveilleux

⚜

Notre grande erreur est d'essayer d'obtenir de chacun en particulier les vertus qu'il n'a pas, et de négliger de cultiver celles qu'il possède.

MARGUERITE YOURCENAR,
Mémoires d'Hadrien

⚜

Lorsqu'on prétend se jouer des salauds, en vérité on se compromet avec eux.

SIMONE DE BEAUVOIR,
La Force de l'âge

⚜

Agir sans principe, c'est consulter sa montre après avoir placé l'aiguille au hasard.

MADAME ROLAND

Mort

Je voudrais mourir par curiosité.

GEORGE SAND

⚜

Mourir d'amour : ça s'est vu, mais, en général, c'est l'amour qui meurt le premier.

MICHELINE SANDREL,
Dictionnaire de ces sacrés Français

❖

Rien ne ressemble plus à la mort que la peur qu'on en a.

ANTONINE MAILLET,
Crache à pic

❖

Incinérée ? Ah non ! je déteste la chaleur !

MURIEL ROBIN,
interview

❖

Il y a des cimetières tellement tristes que ça ne donne pas envie de mourir.

MICHÈLE BERNIER,
Le Petit Livre de Michèle Bernier

❖

Si partir c'est mourir un peu, mourir c'est définitivement y *rester*.

CHANTAL THOMAS,
Comment supporter sa liberté

❖

Lucienne. – Et la mort, vous croyez qu'il y a quelque chose, après ?
Gisèle. – Ben, qu'est-ce que vous voulez qu'il y ait ? Vous croyez

quand même pas qu'ils nous attendent avec du mousseux et des biscuits?

LES VAMPS

Mort prochaine

Peu de jours avant sa mort, **SOPHIE D'HOUDETOT** avait l'air très pensive:
– À quoi rêvez-vous? lui dit-on.
– Je me regrette.

Pratiquement aveugle, sentant sa mort venir, **AUGUSTINE BROHAN** déclara à une amie: «Ce ne sera vraiment pas la peine de me fermer les yeux!»

À Paris, on ne se laisse pas aller, on se farde sur son lit de mort.

ELSA TRIOLET,
Proverbes d'Elsa

Morts

Le mort se reconnaît à l'air triste de son entourage.

JEANNE FOLLY,
L'Encyclofolly

COLETTE, apprenant le décès de son ex-mari Henri de Jouvenel:
– De quoi est-il mort?

– Du cœur, lui dit-on.

– Sans blague, il avait un cœur ?

Cité par **Jean Chalon**,
Colette, l'éternelle apprentie

Le soir même du décès de son mari Blaise Cendrars, la comédienne **RAYMONE** dit à ses partenaires au théâtre : « L'horoscope est formidable pour Blaise aujourd'hui ; on lui indique "Repos complet". »

Un amant de la danseuse Miré mourut en plein coït. Ce trépas original fit dire à **SOPHIE ARNOULD** : « Ordinairement, la lame use le fourreau ; mais, ici, c'est le fourreau qui a usé la lame. »

Ce sont les vivants, dans les vieilles familles, qui semblent les ombres des morts.

Marguerite Yourcenar,
Alexis ou le Traité du vain combat

Les morts, m'affirmait sereinement une voyante, sont pareils aux vivants, sauf qu'ils sont morts, et voilà tout.

Colette,
En pays connu

Mots

En France particulièrement, les mots ont plus d'empire que les idées.

GEORGE SAND,
Indiana

Mots-croisés

RENÉE DAVID est l'auteure de la spirituelle définition de mots-croisés (faussement attribuée à Tristan Bernard) : « Vide les baignoires et remplit les lavabos : entracte. »

Mots-valises

Henri Meilhac, l'un des librettistes d'Offenbach, interroge une soubrette dans les coulisses d'un music-hall parisien :
Meilhac. – Quel rôle jouez-vous dans le spectacle ?
La soubrette. – Je suis engagée pour jouer les *ingénudités* !

Une lectrice. – On sent dans vos romans l'influence de Freud ? Vous l'estimez à ce point ?
FRANÇOISE SAGAN. – Oui. Je choisis, comme personnages de romans, des messieurs qui se permettent de temps à autre quelques petites *freudaines*.

La fausse vierge est l'enceinte nitouche.

ANNE DE BARTILLAT,
Le Fauxcabulaire

Mutisme

Béni soit l'homme qui, n'ayant rien à dire, s'abstient d'en administrer la preuve en paroles.

GEORGE ELIOT

Avant, tout était simple. Lui, Tarzan, il chassait. Elle, Jane, elle cueillait. Lui, Tarzan, il savait. Elle, Jane, elle admirait et fermait sa gueule, même si elle savait aussi.

MICHÈLE FITOUSSI,
Le Ras-le-Bol des Superwomen

Affronter un bavard est une épreuve, certes. Mais que faire de celui qui vous envahit pour vous imposer son mutisme ?

AMÉLIE NOTHOMB,
Les Catilinaires

Mystères

De tous les mystères, ce sont ceux de l'amour qui rencontrent le moins d'incrédules.

MADAME DE LINANGE

Naissance

Quand je suis née, je fus tellement surprise que je n'ai pas dit un mot pendant un an et demi.

GRACIE ALLEN

Narcissisme

Les femmes, qui passent pour coquettes et vaniteuses, ne sont pas fâchées que ce soit un homme, Narcisse, qui ait donné au monde et au vocabulaire l'exemple type de la satisfaction de soi.

ANNE-MARIE CARRIÈRE,
Dictionnaire des hommes

Les hommes sont amoureux d'eux-mêmes et, comme tous les amoureux, ils se croient seuls au monde.

LOUKY BERSIANIK,
L'Euguélionne

À quoi bon les miroirs ? Personne n'a jamais su se regarder.

MARIE VALYÈRE,
Nuances morales

Les **PRÉCIEUSES** appelaient le miroir « le conseiller des grâces ou le peintre de la dernière fidélité, le singe de la nature, le caméléon ».

LE GRAND DICTIONNAIRE DES PRÉCIEUSES

Nationalités

Chaque pays a le spectacle qu'il mérite. L'Espagne a la corrida, l'Italie a l'Église catholique. L'Amérique a Hollywood.

ERICA JONG

Il n'y a qu'à être en Espagne pour n'avoir plus envie d'y bâtir des châteaux.

MARQUISE DE SÉVIGNÉ,
Lettres à Mme de Grignan,
8 novembre 1679

Navigation

Autrefois, chacun menait sa barque ; aujourd'hui, tout le monde veut conduire le char de l'État.

SUZANNE NECKER,
Mélanges

Néophyte

Nous sommes toujours étonnés que les autres ignorent ce que nous savons depuis cinq minutes.

MARIE VALYÈRE,
Nuances morales

Noël

– Tu fais quoi pour Noël ?
– Je prends deux kilos.

ANNA GAVALDA

Noir

À sa fille – qui vient de lui révéler son intention d'épouser un homme de couleur – la mère demande : « Noir ? Mais tu en es sûre ? Il est noir, noir ? Vraiment noir ? »

MURIEL ROBIN,
« Le Noir », *Tout m'énerve*

Nostalgie

Vivre dans le passé est ennuyeux ; regarder en arrière fatigue les muscles du cou, vous fait buter contre les personnes ne suivant pas le même chemin que vous.

EDNA FERBER

Nourrice

– À quel âge est-on aimé pour soi-même?
– En nourrice.

COMTESSE DIANE,
Le Livre d'or

Nourriture

Le souper est une des quatre fins de l'homme. J'ai oublié les trois autres.

MARIE DU DEFFAND

Je disais autrefois de feu M. de Rennes qu'il marquait les feuillets de son bréviaire avec des tranches de jambon...

MARQUISE DE SÉVIGNÉ,
Lettres à Mme de Grignan, 31 août 1689

Une femme bien peut dire qu'elle s'est tapé tel ou tel, mais jamais qu'elle s'est tapé une choucroute.

FRANÇOISE SAGAN,
Un piano dans l'herbe

«Des pâtes, des pâtes, oui, mais des Panzani!»

CHRISTINE ARFEUILLÈRES,
slogan pour les pâtes Panzani,
dans la bouche de Dom Patillo (publicité de 1975)

Elle te ferait du bouillon gras avec une pierre ponce.

LAURENCE SÉMONIN,
La Madeleine Proust

Nouveauté

La vraie nouveauté, c'est ce qui ne vieillit pas, malgré le temps.

MURIEL BARBERY,
L'Élégance du hérisson

⚜

Il n'y a de nouveau que ce qui a été oublié.

ROSE BERTIN

Nuance !

Nuances – à la manière de René Dorin – citées par **CARMEN TESSIER,** dans *Bibliothèque rosse*, II :

Amoureux d'un sport : on est mordu.
Amoureux d'une sportive : on est pincé.

Le 22 long rifle : c'est un drôle de revolver.
Celui qui s'en sert sans réflexion : c'est un drôle de pistolet.

Tenir trop aux principes : c'est être à cheval.
N'y point tenir trop : c'est être cavalier.

Nudité

– Mademoiselle Harlow, êtes-vous nue sous votre corsage ?
– Mais c'est une question de malvoyant !

JEAN HARLOW,
à une conférence de presse pour *Les Anges de l'enfer*

⚜

Qu'est-ce que je porte au lit ? Le parfum Chanel n° 5, voyons !

MARILYN MONROE

⚜

Un journaliste. – Ça ne vous a pas gênée de poser nue pour des photos ?

MARILYN MONROE. – Mais pas du tout, le plateau était bien chauffé !

⚜

En 1957, à ceux qui lui reprochaient d'apparaître nue dans des films, **BRIGITTE BARDOT** faisait remarquer : « Ce n'est pas sale, puisque c'est beau. »

⚜

Paris pensait avoir tout vu, tout lu, tout bu, il manquait juste tout nu. En un soir de septembre 1925, Joséphine Baker a mis tout Paris à ses pieds dans sa poche, un comble pour une fille qui dansait quasi à poil, juste avec quelques plumes sur les fesses.

CAROLINE LOEB,
chroniques sur La City Radio

⚜

Mieux vaut tourner à poil dans un bon film qu'habillée dans un navet.

VICTORIA ABRIL

Obéissance

Il n'y a que ceux qui ont appris à commander qui sachent obéir.

DELPHINE DE GIRARDIN

L'obéissance n'est qu'une forme canonisée de la paresse.

GERMAINE BEAUMONT,
Si je devais...

Objection

GERMAINE DE STAËL parlait de la Révolution avec Bonaparte :
G. de Staël. – Quel est votre avis, général, sur la Révolution qui vient de se passer ?
Bonaparte. – Je n'aime pas les femmes qui parlent politique !

G. DE STAËL. – Vous avez raison ! Mais dans un pays où on leur a coupé la tête, il est naturel qu'elles se demandent pourquoi !

Ce n'est pas parce que les choses sont difficiles que nous n'osons pas, mais parce que nous n'osons pas qu'elles sont difficiles.

KATHERINE PANCOL,
Les Yeux jaunes des crocodiles

Odeurs mauvaises

D'un homme de peu d'esprit et malodorant : « Il faut que cet homme soit mort, car il ne dit mot et sent fort mauvais ! »

MADAME DE CORNUEL
Propos cité par **TALLEMANT DES RÉAUX,**
Historiettes

AUGUSTINE BROHAN fut rattrapée, dans la rue, par un admirateur qui avait une haleine fort mauvaise :
– Voilà un long moment que je cours après vous à perdre haleine !
– Et vous vous plaignez ?

Utilisez « Décapied », le produit qui donne un petit coup de main au pied ! La mauvaise odeur des pieds de Monsieur ou de Madame a brisé des couples ou a provoqué des échauffourées dans les casernes. Il y aurait peut-être moins de guerres dans ce monde si les gens sentaient meilleur des pieds.

MACHA MAKEÏEFF,
Les Deschiens

Dans les coulisses d'un music-hall parisien, **LOUISE BALTHY** était près d'un camarade de scène qui lâcha un vent silencieux : « Mon cher, je crois que vous avez bâillé. »

Œufs

Surtout ne pas mettre tous ses œufs dans le même panier de crabes !

MICHÈLE BERNIER,
Le Petit Livre de Michèle Bernier

Omnipotent

C'est prodigieux, ce que ne peuvent pas ceux qui peuvent tout.

ANNE-SOPHIE SWETCHINE,
Airelles (dans *Pensées*)

Optimiste

Il est bon d'être optimiste, au moins pour les autres.

ELSA TRIOLET,
Proverbes d'Elsa

C'est sous l'uniforme militaire que Trenet composa son premier grand succès, *Y a d'la joie*, ce qui suffirait à prouver son optimisme naturel.

FRANÇOISE GIROUD,
Françoise Giroud vous présente le Tout-Paris

Sachez une chose, dans la vie, tout s'arrange, même mal.

STÉPHANIE BATAILLE,
Les Hommes

Ordinaire

La plupart du temps, c'est l'ordinaire qui me pique et me vivifie.

COLETTE,
Le Fanal bleu

Bien des gens acceptent de faire de grandes choses. Peu se contentent de faire de petites choses au quotidien.

MÈRE TERESA

Rien n'est petit dans l'amour. Ceux qui attendent les grandes occasions pour prouver leur tendresse ne savent pas aimer.

LAURE CONAN,
Angéline de Montbrun

Orgueil

N'ayant pu détruire l'orgueil, la philosophie a pris le parti d'en faire une vertu.

MADAME DE GENLIS,
Pensées diverses

Il y a des gens si orgueilleux, si remplis de fatuité, qu'ils sont persuadés qu'on les hait dès qu'on n'est pas charmé d'eux.

MADAME DE GENLIS,
Pensées diverses

Werther, Childe Harold, Obermann, Faust... Étrange orgueil de l'homme moderne, il a idéalisé jusqu'à ses défaillances.

DANIEL STERN,
Esquisses morales, pensées, réflexions et maximes

Orgueilleuse comme un pou! Elle crânerait au fond d'un seau de merde!

JOSIANE BALASKO,
Un grand cri d'amour

Oubli

L'amour, c'est s'oublier, pas pour devenir l'autre mais pour devenir rien, rien ensemble.

AMANDA STEERS,
Ma place sur la photo

On ne trouve de bon dans la vie que ce qui la fait oublier.

GERMAINE DE STAËL

Vouloir oublier quelqu'un, c'est y penser tout le temps.

KATHERINE PANCOL,
Les écureuils de Central Park sont tristes le lundi

Oxymore

Mon mari est aux petits soins pour déplaire.

MARIE DU DEFFAND

❖

Les femmes ne sont jamais plus fortes que lorsqu'elles s'arment de leur faiblesse.

MARIE DU DEFFAND,
Correspondance

❖

Évoquant sa passion tumultueuse pour le comte de Lauraguais, **SOPHIE ARNOULD** disait :
« Ah ! c'était le bon temps : j'étais bien malheureuse ! »

❖

Attention, si ça continue, ça va pas pouvoir continuer !

FLORENCE FORESTI

Paix

On cherche la paix comme on cherche, souvent, son chemin.
En lui tournant le dos.

ANNE BARRATIN,
De vous à moi

Pardon

Assurément, il est bien plus généreux de pardonner en se souve-
nant que de pardonner en oubliant.

MARIA EDGEWORTH

Les femmes ne pardonnent jamais qu'après avoir puni.

DELPHINE DE GIRARDIN,
Lettres parisiennes

Votre véritable ami est celui qui ne vous passe rien et qui vous pardonne tout.

COMTESSE DIANE,
Les Glanes de la vie

Il est plus facile de demander le pardon après que la permission avant.

GRACE HOPPER

Le pardon spontané des offenses n'est pas dans mes moyens.

FRANÇOISE GIROUD,
Ce que je crois

Parents

Je ne rends pas souvent visite à mes parents parce que la compagnie Delta Airline n'accepte pas que l'avion attende dans le jardin le temps que je leur fasse un petit coucou.

MARGARET SMITH

J'ai amené mes parents à l'aéroport. Ils partent demain.

MARGARET SMITH

Paresse

Je suis si paresseuse que je ne fais même pas mon âge.

YVETTE GUILBERT

Mon indifférence vient surtout de ma paresse. Je suis née paresseuse. D'ailleurs, c'était un dimanche, et j'ai toujours préféré une semaine de paresse à un bijou.

ARLETTY,
Les Mots d'Arletty

❖

Il n'y a pas de plaisir à n'avoir rien à faire : ce qui est amusant, c'est d'avoir beaucoup de choses à faire et de ne pas les faire.

MARIE WILSON LITTLE,
A Paragrapher's Reveries

Parfum

Une femme sans parfum est une femme sans avenir.

COCO CHANEL

Parole

Un homme qui parle d'amour avec esprit est médiocrement amoureux.

GEORGE SAND,
Indiana

❖

La parole a été donnée à l'homme pour lui faire connaître le prix du silence.

DANIEL DARC,
Sagesse de poche

Partage

– Non mais attends, en fait, est-ce que tu as vraiment envie de partager quelque chose avec un homme ?
– Oui, mon loyer.

CÉCILE TÉLERMAN,
Tout pour plaire

Le nouvel homme a résolu à sa façon le nouveau partage des tâches : occupe-toi de tout et je ferai le reste.

MICHÈLE FITOUSSI,
Le Ras-le-Bol des Superwomen

Parure

Une dame. – Tu ne trouves pas, Sophie, que la rivière de diamants de la Clairon descend bien bas ?
SOPHIE ARNOULD. – Dame, elle retourne à sa source !

– Ciel, quels beaux diamants !
– Le ciel n'a rien à voir là-dedans !

MAE WEST,
Night After Night (1932)

Passage clouté

Le passage clouté est le haut lieu de la tendresse municipale.

FRANCE QUÉRÉ,
Au fil de l'autre

Passe-temps

Mon passe-temps favori, c'est laisser passer le temps, avoir du temps, prendre mon temps, perdre mon temps, vivre à contretemps.

FRANÇOISE SAGAN,
Réponses

Passions

Il y a des passions nerveuses, comme il y a des grossesses nerveuses.

MARCELLE AUCLAIR,
L'Amour

Je n'ai pas de passions, mais j'ai des vices, c'est ce qui me sauve.

MARGUERITE BELLANGER

Patience

On sent souvent dans la patience gigoter l'impatience, comme l'enfant dans ses langes.

ANNE BARRATIN,
Pensées (dans *Œuvres posthumes*)

Pauvres

Dieu a créé les riches pour donner aux pauvres le paradis en spectacle.

CHRISTIANE SINGER

Péché

Se régalant d'un verre d'eau, **ANNE GENEVIÈVE DE BOURBON** fit ce commentaire: «Quel dommage que ce ne soit pas un péché!»

❖

Le péché vaut encore mieux que l'hypocrisie.

MADAME DE MAINTENON,
Lettre au cardinal de Noailles

❖

Notre foi nous enseigne que [Dieu] a premièrement créé deux hommes auxquels il a donné lui-même l'occasion de faillir. Qu'avait-il besoin, en effet, de leur défendre de toucher à un arbre, et ensuite d'étendre sa malédiction sur tous ceux qui n'avaient pas péché, puisqu'ils n'étaient pas nés?

LA PRINCESSE PALATINE

Pénis

Le pénis est un clitoris agrandi.

MARY-JANE SHERFEY,
Nature et évolution de la sexualité féminine

❖

Je ne choisis pas des amants mais des femmes avec un pénis.

SHARON STONE,
Paris-Match (28 avril 1994)

Penser

Penser est, pour un grand nombre de femmes, un accident heureux plutôt qu'un état permanent.

DANIEL STERN,
Esquisses morales, pensées, réflexions et maximes

❖

Nous sommes peu à penser trop, trop à penser peu.

FRANÇOISE SAGAN

Père

On choisit son père plus souvent qu'on ne pense.

MARGUERITE YOURCENAR,
Électre

❖

Un roi, conscient de son incompétence, peut soit déléguer, soit abdiquer. Un père ne peut ni l'un ni l'autre.

MARLENE DIETRICH

Perfidies

Que deviendraient les femmes si elles n'avaient à leur disposition la bouche qui met en mouvement la langue acérée pour bavarder à leur aise, et des dents pour déchirer leurs meilleures amies...?

COMTESSE DE TRAMAR,
Le Bréviaire de la femme

❖

Une femme. – Pourquoi donc Mme Du Châtelet revient-elle chez son mari dont elle est séparée ?

MME GEOFFRIN. – Vous verrez que c'est une envie de femme enceinte !

Une femme. – Vous valez bien mieux que votre réputation. On m'avait dit que vous étiez méchante !

MADELEINE BROHAN. – Il ne faut pas croire les gens. On m'avait bien dit que vous étiez bonne.

Une dame. – J'ose à peine le dire, Sophie, mon amant m'a traitée de... catin.

SOPHIE ARNOULD. – Que veux-tu, ma chère, les gens sont si grossiers, aujourd'hui, qu'ils appellent toutes les choses par leur nom !

La manière d'écrire de Virginia Woolf ?! Je n'ai rien à en dire. En revanche, quelle admirable tricoteuse !

EDITH SITWELL

On dit que Mme X... a signé un tableau. Pourquoi pas, puisqu'elle sait écrire.

NATALIE CLIFFORD BARNEY,
Éparpillements

Performances féminines

Quand on est une femme, il faut avoir 20 sur 20 pour avoir la moyenne.

UNE MINISTRE SOCIALISTE
(*Le Nouvel Observateur*, 9-15 juillet 1992)

⚜

Quand les femmes seront au pouvoir, elles ne feront pas comme les hommes, elles feront pire.

ANNE ROUMANOFF

Périphrases

Pour les **PRÉCIEUSES**, le mot « propre » pouvait être sale et devait laisser la place à une périphrase. Celles qui suivent sont tirées du *Grand Dictionnaire des précieuses* (1660) d'Antoine de Somaize.

La chaise [à porteurs] : la chaise est un admirable retranchement contre les insultes de la boue et du mauvais temps.

La chemise : la compagne perpétuelle des morts et des vivants.

Les dents : l'ameublement de bouche.

Les grands mots : des mots à longue queue.

Les joues : les trônes de la pudeur.

Un lavement : le bouillon des deux sœurs.

La musique : le paradis des oreilles.

Les tétons : les coussinets d'amour.

Les violons : l'âme des pieds (Molière fait dire « les âmes des pieds », dans *Les Précieuses ridicules*).

Permission

Il y a des gens qui n'ont jamais besoin de permissions, ils se les accordent.

ANNE BARRATIN,
De vous à moi

Pessimiste

J'ai appris que, pour être prophète, il suffisait d'être pessimiste.

ELSA TRIOLET,
Mille regrets

Petitesse

Mon amant est un peu petit, mais au lit cela ne se voit pas.

DUCHESSE DE CHEVREUSE

On ferait un livre bien comique avec les petitesses des gens d'esprit.

DANIEL DARC,
Sagesse de poche

Petits esprits

Ce sont les petits esprits qui sont les plus nuisibles.

AMÉLIE NOTHOMB,
Péplum

Phraseurs

Il y a des gens qui, avec peu de paroles, donnent beaucoup à penser, d'autres qui, avec beaucoup de mots, éveillent peu d'idées. Ils ressemblent à ces deux aiguilles du cadran, dont l'une va très vite et ne marque que les secondes, tandis que l'autre, plus lente en sa marche, désigne les heures.

DANIEL STERN,
Esquisses morales, pensées, réflexions et maximes

Tu sais quoi, Guillaume ? Tout ce que tu dis, tout ce que tu fais, c'est du vent, t'es l'armée de l'air à toi tout seul !

CÉCILE TÉLERMAN,
Tout pour plaire

Sacha Guitry. – Cécile, je ne sais pas ce que j'ai, mais je m'ennuie.
CÉCILE SOREL. – Vous vous écoutez trop !

Échange rapporté par **CARMEN TESSIER**
(*Bibiothèque rosse*, tome I)

Axiome littérairien : qui trop phrase mal dépeint !

DANIEL DARC,
Sagesse de poche

Piano

Le piano a beaucoup augmenté la valeur du silence.

ANNE BARRATIN,
De vous à moi

Places éminentes

Les places éminentes sont comme les rochers escarpés, où les aigles et les reptiles peuvent seuls parvenir.

SUZANNE NECKER,
Mélanges

Plaisir

Un journaliste. – Quelle différence faites-vous entre le plaisir et le bonheur ?
COLETTE. – Le plaisir se ramasse, le bonheur se cueille.

Plaisirs de longue durée ne sont plus plaisirs.

CHRISTINE DE SUÈDE,
Maximes et pensées

Plastique

Il y a tellement de plastique dans notre culture que la peau de léopard en vinyle devient un synthétique en voie de disparition.

LILY TOMLIN

Plongeon amoureux

En amour, il y a un temps pour plonger, mais il faut attendre que la piscine se remplisse si l'on ne veut pas plonger dans un bain de pieds.

FANNY ARDANT,
interview pour *7 à Paris*, 1990

Poésie

Pour écrire en prose, il faut absolument avoir quelque chose à dire ; pour écrire en vers, ce n'est pas indispensable.

LOUISE ACKERMANN,
Pensées d'une solitaire

⚜

On peut mettre le monde entier dans un sonnet, en tassant bien.

ANNE FADIMAN,
Ex-Libris

⚜

Heureux les poètes car ils peuvent déraisonner impunément.

ANNE BARRATIN,
Pensées (dans *Œuvres posthumes*)

Point commun

Nous avions beaucoup de points communs : je l'aimais et il s'aimait.

SHELLEY WINTERS

⚜

La date de notre mariage est le seul point commun entre mon mari et moi.

PHYLLIS DILLER

Poison

La nouvelle se répandit que le redouté critique Chevrier s'était empoisonné.

SOPHIE ARNOULD. – Juste ciel! il aura sucé sa plume.

Rencontrant le vicomte de Choiseul – langue de vipère qui ne l'avait pas épargnée –, **GERMAINE DE STAËL** lui demanda, pour la forme, des nouvelles de sa santé:

– Je vais mieux, mais j'ai cru m'être empoisonné.

– Ah bon? Vous vous êtes donc mordu la langue?

Poitrine

L'*abribuste* est le soutien-gorge. Il n'y a que deux places dans les *abribustes*.

ANNE DE BARTILLAT,
Le Fauxcabulaire

Que de femmes ont de la cervelle plein la poitrine!

MADAME DE POMPADOUR,
Correspondance

Combien pèse ma poitrine? Je ne vous le dirai pas! Sachez qu'il m'en coûterait 87 dollars et 50 centimes pour l'envoyer par la poste au tarif le plus bas.

BETTE MIDLER

Les hommes aiment les gros seins et les gros compliments.

FRANÇOISE CHANDERNAGOR,
La Première Épouse

Chez une femme, la seule profondeur intéressante pour un homme est celle de son décolleté.

ZSA ZSA GABOR

Politiciens

Avec Giscard, nous faisons l'expérience étonnante du creux gouvernant le vide.

CHANTAL DUPILLE,
Moi, j'aime pas Giscard!

Comme la nature, Edgar Faure, président de l'Assemblée nationale, a horreur du vide. Dès qu'une place est vacante, il est candidat.

CATHERINE NAY,
La Double Méprise

Héritier: c'est un homme qui vous prend le pouls chaque fois qu'il vous serre la main.

CATHERINE NAY,
ibid.

Il ressemble à un ordinateur à binocles. Il est passionnel comme un frigo. C'est le prototype de l'homme politique façon curé austère, technocrate, le super-réglo-très-rigide. Le grand style coincé balai.

SYLVIE CASTER,
à propos de Jean-Louis Bianco,
dans *Le Canard enchaîné* (10 juillet 1991)

⚜

Jean-Pierre Chevènement : lacanien tendance princesse de Monaco.

ODILE GRAND,
dans *L'Événement du jeudi*, 17 octobre 1985

⚜

La scène se passe en 1972, le Premier ministre de Georges Pompidou croise **MARIE-FRANCE GARAUD** à l'Assemblée nationale et l'interpelle :
Chaban-Delmas. – Alors, on dit que vous voulez ma peau ?
Marie-France Garaud. – Ce n'est pas votre peau qui m'intéresse, c'est la France !

⚜

Après l'élection de Jacques Chirac en 2002, **MARIE-FRANCE GARAUD** a déclaré : « La Ve République avait été instaurée pour donner une tête à l'État, mais il n'y a plus de tête et il n'y aura bientôt plus d'État. »

⚜

Pierre Méhaignerie s'efforce de paraître vide et y parvient.

JOSETTE ALIA,
dans *Le Nouvel Observateur* (6 juin 1986)

Mitterrand a détruit la Ve République par orgueil, Valéry Giscard d'Estaing par vanité et Jacques Chirac par inadvertance.

MARIE-FRANCE GARAUD,
déclaration sur France 2 (16 mai 2006)

Politique

En Angleterre, les reines gouvernent mieux que les rois. Savez-vous pourquoi ? Parce que, sous les rois, ce sont les femmes qui gouvernent et que, sous les reines, ce sont les hommes !

LA DUCHESSE DE BOURGOGNE à Mme de Maintenon

Les hommes de son parti [le RPR] n'ont pas pardonné à la ministre Michèle Barzach d'avoir envie de coucher avec elle.

FRANÇOISE GIROUD,
dans *L'Express* (22 avril 1993)

Je n'aime pas la gauche caviar, disons que je suis de la droite saucisson.

FRANÇOISE DORIN,
interview à *France-Soir*, 25 janvier 2006

Mai 68, c'était un truc pour étudiants dorés sur tranche!

CLAIRE BRETÉCHER,
déclaration au *Figaro magazine*, 30 avril 1999

En politique, si vous voulez des discours, demandez à un homme. Si vous voulez des actes, prenez des femmes.

MARGARET THATCHER

Polyglotte

Je connais une femme qui parle seize langues et qui ne sait dire non en aucune!

DOROTHY PARKER

Ne me parlez pas du pape Jean-Paul II; même s'il s'exprime dans une dizaine de langues, je voudrais bien savoir dans laquelle il est le moins con.

ARLETTY,
Les Mots d'Arletty

Pomme de terre

Relevé par Carmen Tessier sur un marché parisien:
Le client. – Elles sont bien hollandaises, vos pommes de terre?
La marchande. – C'est pour quoi faire que vous les achetez?
Pour leur parler ou pour les manger?

CARMEN TESSIER,
Bibliothèque rosse, II

Ponctualité

Pourquoi certains arrivent-ils toujours en avance ? Parce qu'ils pensent : « On ne m'aime pas assez pour m'attendre. » Pourquoi d'autres arrivent-ils toujours en retard ? Parce qu'ils pensent : « On doit m'aimer assez pour m'attendre. »

FRANÇOISE GIROUD,
La Rumeur du monde

Porc

Monsieur le rabbin, j'ai suivi toutes vos indications depuis que je suis arrivé en Israël afin d'y élever des porcs. Je les ai installés sur pilotis comme des Hawaïens au-dessus de la mer. Jamais une de leurs pattes n'a frôlé la Terre sainte. Sauf bien sûr quand vous acceptez qu'on s'en empare pour pourchasser des terroristes.

AMANDA STEERS,
Les Terres saintes

Portrait moral

Voltaire était une tête unique, une tête à tintamarre, une tête utile au genre humain par plus d'un côté, une tête dont on n'aurait pu lire les œuvres sans que cela eût renouvelé la circulation du sang dans vos veines, fortifié corps, âme et tête, épanoui la rate.

CATHERINE II DE RUSSIE

⚜

Le ministre Maurepas voudrait que ses collègues fussent encore plus ineptes que lui, pour paraître quelque chose. C'est un poltron, qui croit qu'il va toujours tout tuer, et qui s'enfuit en voyant l'ombre d'un homme qui veut résister. Il ne fait peur qu'à de petits enfants. Maurepas ne sera un grand homme qu'avec des nains.

CLAUDINE DE TENCIN,
Lettre au duc de Richelieu, 1ᵉʳ août 1743

M. de Robespierre aimait peut-être le peuple, l'humanité, etc., mais guère les hommes et pas du tout les femmes.

AIMÉE DE COIGNY,
Journal

Au sujet de Calvin Coolidge, trentième président des États-Unis, **ALICE LONGWORTH-ROOSEVELT** disait : « Il semble avoir été nourri au vinaigre. »

ALICE LONGWORTH-ROOSEVELT analysait ainsi la personnalité du président Franklin Delano Roosevelt (un très lointain parent) : « C'est un tiers de sa femme Eleanor et deux tiers de bouillie. »

Je croyais que Chirac était du marbre dont on fait les statues. En réalité, il est de la faïence dont on fait les bidets.

Attribué à **MARIE-FRANCE GARAUD**
(qui a démenti avoir fait cette comparaison)

Ce mec, c'était Laurel et Hardy à lui tout seul.

ANNA GAVALDA,
Ensemble, c'est tout

Elle se sentit aussi forte qu'une boussole qui ne perd jamais le nord.

KATHERINE PANCOL,
Les écureuils de Central Park sont tristes le lundi

Portrait physique

Siegfried Wagner : combien de fois, à Bayreuth, ai-je croisé sa silhouette sans épaules (il est bâti comme une bouteille), évité son regard couleur de Marennes pas très fraîche !

COLETTE,
Au concert

D. H. Lawrence ressemblait à un nain en plâtre sur un piédestal en pierre, dans quelque jardin de banlieue... Il donnait l'impression d'avoir passé une nuit inconfortable dans une grotte très sombre.

EDITH SITWELL

Position

L'honnête épouse, au moment où elle se livre à son honnête époux, est dans la même position que la prostituée au moment où elle se livre à son amant.

RACHILDE

Post-coïtum

Que faire après l'amour ? Il y a trois options : fumer une cigarette, s'endormir ou revenir à l'avant de l'autocar.

JOAN RIVERS

Poussière

Pourquoi ne pas considérer la poussière comme le duvet des meubles ?

NATALIE CLIFFORD BARNEY,
Pensées d'une Amazone

Pouvoir

Dans les pyramides du pouvoir, les ovaires, c'est comme l'oxygène : ça se raréfie avec l'altitude.

ISABELLE ALONSO

Ne revendiquez pas le « pouvoir noir » ou le « pouvoir vert ». Revendiquez le « pouvoir du cerveau ».

BARBARA JORDAN

Pratique religieuse

Comment se fait-il que, lorsque nous parlons à Dieu, les gens disent que nous prions, alors que, quand c'est Dieu qui nous parle, les mêmes nous traitent de schizophrènes ?

LILY TOMLIN

La dévotion des femmes n'est, le plus souvent, que de la coquetterie avec Dieu. Cela occupe, amuse et n'engage point.

DANIEL STERN,
Esquisses morales, pensées, réflexions et maximes

Précaution

C'est en cherchant, par excès de prudence, à éviter tout faux pas qu'on finit immanquablement par en faire un.

GERTRUDE STEIN

Préférence

C'est une excellente personne qui a des préférences pour tout le monde.

SOPHIE ARNOULD

– Quel est votre genre d'homme préféré ?
– Les Américains et les étrangers.

MAE WEST,
interview

Il l'aime plus que les autres, mais il lui faut les autres pour s'en rendre compte.

NATALIE CLIFFORD BARNEY,
Nouvelles pensées de l'Amazone

Préjugé

C'est un préjugé de croire qu'on ne peut partager les préjugés que par préjugé.

MARIE LENÉRU

Premier amour

Avec son premier cigare, un jeune se rend malade ; avec sa première petite amie, il rend malades les autres.

MARIE WILSON LITTLE,
A Paragrapher's Reveries

Premier pas

« La distance n'y fait rien, il n'y a que le premier pas qui coûte. » **MME DU DEFFAND,** répondant moqueusement à un cardinal à propos de saint Denis (selon la légende, ce dernier, une fois décapité, avait porté sa tête de Paris à Saint-Denis).

Correspondance, 7 juillet 1763

Le premier soir

Profil pour un site de rencontres : « J'ai un principe : je ne couche jamais le premier soir, mais la veille. »

FLORENCE FEYDEL

Préoccupations

Drôle d'époque où recenser les sujets de préoccupation de ses contemporains revient à ressasser un chapelet de lieux communs !

CHRISTIANE COLLANGE,
Ça va les hommes ?

Présence

Il est des gens dont la présence est nécessaire pour qu'on se souvienne d'eux.

ANNE BARRATIN,
De vous à moi

Presse

Au vrai, presse et pouvoir sont inséparables comme des siamois condamnés à une coexistence hargneuse. Du moins en pays démocratique.

FRANÇOISE GIROUD,
dans *Le Nouvel Observateur*, 3-9 juin 1999

Prières

Si Dieu voulait bien nous confier toutes les prières qui lui sont faites, il y aurait de quoi alimenter la gaieté humaine jusqu'au jour du dernier jugement.

MARIE VALYÈRE,
Nuances morales

L'oraison mène à tout, à condition de pouvoir en sortir indemne.

ANNE HÉBERT,
Les Enfants du sabbat

Prince charmant

– Et toi, quand est-ce que tu rencontres ton prince charmant?
– Je n'arrête pas de le rencontrer mais il se transforme immédiatement en grenouille.

JOSIANE BALASKO,
Cliente (film)

Si vous demandez à un crapaud ce qu'est la beauté, il répondra, sans hésiter : « Ma crapaude. » Ceux qui n'ont jamais vu de près les yeux pailletés des batraciens ne peuvent pas comprendre.

Le pire qui pourrait arriver à une crapaude, ce serait de voir son fiancé transformé en prince charmant.

CHRISTINE BRAVO,
Les Grosses Bêtes

Maint'nant que les siècles ont passé,
Et que tout l'monde connaît l'histoire,
On peut enfin vous l'révéler :
Le princ' charmant s'est fait avoir,
C'est la plus bell' des escroqueries
Et c'est l'arnaqu' de tous les temps,
Car, pendant que la bell' roupille,
Le princ' charmant, ben, il attend.

AGNÈS BIHL,
«La rebelle au bois dormant»,
album *La Terre est blonde*

Problèmes

Il n'y a pas de problèmes insolubles, il y a seulement des solutions désagréables.

ALEXANDRA MARININA,
La Liste noire

Programme politique

Les programmes politiques ne sont jamais que les cimetières futurs des espérances déçues.

MARIE-FRANCE GARAUD

Prostituée

Hamsterdame : souris hollandaise. Les animaleries des Pays-Bas exposent toujours leurs belles hamsterdames en vitrine.

ANNE DE BARTILLAT,
Le Fauxcabulaire

Filles de joie. La joie de qui ?

BENOÎTE GROULT,
préface de *La Dérobade* (1977),
de Jeanne Cordelier

Proverbes

L'habit est si loin de faire le moine que, bien souvent, par orgueil il le défait.

MARGUERITE DE NAVARRE,
L'Heptaméron

La fortune vient en dormant... mais pas en dormant seule.

CAROLINE OTERO

Ayant pris du poids pour les besoins d'un film, **MARTINE CAROL** justifia son régime :
Martine Carol. – La fortune vient en mangeant.
Une femme. – En dormant... pas en mangeant !
Martine Carol. – Mais c'est pareil, ne dit-on pas : « Qui dort dîne » ?

Dans *Ma vie revue et corrigée par l'auteur*, **CHRISTIANE ROCHEFORT** a mitonné ses propres proverbes :

Un homme averti vaut mieux que ceinture dorée (proverbe protestant).

Jette ton pain sur l'eau, elle te rendra des tartines beurrées (proverbe Shell Petroleum).

On ne pédale jamais deux fois dans la même semoule (proverbe grec).

On ne tombe jamais deux fois du même avion (proverbe optimiste).

Un excellent dicton picard dit : « Il est plus confortable d'être à cheval sur les principes que d'être assis entre deux chaises. »

JEANNE FOLLY,
L'Encyclofolly

Pour évoquer le sort d'un sans-abri « qui habite chez dehors » : « La vérité sort de la bouche du métro. »

CATHERINE LARA,
album *Passe-moi l'ciel !* (2005)

Il vaut mieux prêter à sourire que donner à réfléchir.

CHANTAL LAUBY (Les Nuls)

Pruderie

Qu'est-ce qu'une prude ? Celle qui résiste avec bruit.

COMTESSE DIANE,
Le Livre d'or

Le voile des prudes n'est si épais que parce qu'il y a beaucoup à cacher.

DELPHINE DE GIRARDIN

Il en est d'une nation comme des femmes : plus elle affiche de pruderie, plus on doit douter de ses vertus. Les époques les plus dissolues sont le plus collet monté.

CLAUDIA BACHI,
Feuilles au vent

Psychanalyse

S'il n'y avait eu que des gens gais sur terre, la psychologie serait morte de faim et de soif.

ANNE BARRATIN,
De vous à moi

Je ne vois que la psychanalyse pour concurrencer le christianisme dans l'amour des souffrances qui durent.

MURIEL BARBERY,
L'Élégance du hérisson

La psychanalyse ne peut rien pour les hommes : pour remonter dans leur enfance, encore faudrait-il qu'ils en soient sortis...

BARBARA T. SMITH

Publicité

«Vous avez aimé le Livre, vous adorerez la ville.» [Le Livre, c'est la Bible. La ville, c'est Jérusalem. Publicité pour visiter Israël.] Comment peut-on sérieusement accoucher de raccourcis pareils ? À quand : «*Hiroshima mon amour*. Vous avez aimé le film, vous raffolerez de la ville.» [...] Il faut tout de même pas prendre les enfants du bon Dieu pour des connards qui voyagent.

CAROLINE LOEB,
Bon chic chroniques

Pudeur

Il est plaisant qu'on ait fait une loi de la pudeur des femmes qui n'estiment dans les hommes que l'effronterie.

NINON DE LENCLOS

La pudeur est une vertu que l'on attache avec des épingles.

LOUISE D'ÉPINAY

Punition

On est souvent puni par ceux qui ont péché.

CLAIRE LARDINOIS,
Réflexions mauvaises

Seulement les sots sont punis, non les vicieux.

MARGUERITE DE NAVARRE,
L'Heptaméron

Qualités

On vous goûte plus dans le monde pour les qualités que vous découvrez aux autres que pour celles que vous possédez vous-même.

MADAME CUVIER,
citée par Victor du Bled,
Quelques salons du second Empire (1923)

Querelle féminine

Un anecdotier du XVIIIe siècle rapporte cette prise de bec :
– Catin !
– Vieille sorcière !
– J'ai donc deviné !

❖

l'esprit au féminin.

(283)

Deux femmes, rivalité ; trois femmes, complot ; quatre femmes, bataille rangée.

LYDIE AUBERNON

Questions

Les gens n'aiment pas poser des questions, ils ont peur de paraître incultes ou cons, mais si on ne demande pas, on n'apprend jamais, non ?

KATHERINE PANCOL,
Embrassez-moi

Ce sont les questions qui sont le sel de la vie. Les réponses, il faut s'en garder : elles peuvent tuer.

BENOÎTE GROULT,
La Touche étoile

Quête du bonheur

« La quête du bonheur » est une expression des plus ridicules : si vous cherchez le bonheur, vous ne le trouverez jamais.

CARRIE P. SNOW

Ragga abscons

Et si bredi-breda pour t'emberlucoquer
Public chéri, j'usais d'un canulant babil ?
Désheuré défléchi de me voir forligner,
Rogneux, tu gaberais mon verbiage labile.
En d'autres termes tu ne me comprendrais pas !

JULIETTE,
« Le ragga abscons »,
disque *Le Festin de Juliette*

Raison

Ce qu'une femme appelle *avoir raison*, c'est *ne pas avoir tous
les torts*.

SOPHIE ARNOULD

❦

Il est souvent fort peu raisonnable d'avoir trop tôt ou trop complètement raison.

DANIEL STERN,
Esquisses morales, pensées, réflexions et maximes

Raisons d'aimer

On sait rarement pourquoi on aime. On croit toujours savoir pourquoi on n'aime plus.

MARCELLE AUCLAIR,
L'Amour

Rang

Tirer vanité de son rang, c'est avertir qu'on est au-dessous.

MARIE LESZCZYNSKA

Rangement

– Comment amener le mari à bien ranger ses affaires dans la chambre partagée avec sa femme ?
– Pschittez abondamment votre parfum sur votre moitié de territoire. Terrifié à l'idée de sentir « L'heure bleue » au bureau, il repliera bien vite sa garde-robe en vrac vers l'autre bout de la pièce.

FRIGIDE BARJOT,
J'élève mon mari

Rareté

Je ne suis pas bibliophile, mais humanophile : c'est en fait d'êtres que je cherche les exemplaires rares.

NATALIE CLIFFORD BARNEY,
Pensées d'une Amazone

Réalité

La réalité est une béquille pour les gens qui ne peuvent pas supporter les drogues.

LILY TOMLIN

Réchauffement climatique

J'aimerais que l'équateur changeât de position : l'idée riante que dans vingt mille ans la Sibérie, au lieu de glaces, pourra être couverte d'orangers et de citronniers, me fait plaisir dès à présent.

CATHERINE II DE RUSSIE,
Lettre à Voltaire, 6 octobre 1772

Réciprocité

La rose qui meurt de soif a besoin du jardinier, mais le jardinier a encore plus besoin de la rose qui meurt de soif : sans la soif de sa fleur, il n'existe pas.

AMÉLIE NOTHOMB,
Attentat

Reconnaissable

La danseuse Hortense Allard eut beaucoup d'amants, tant nobles que roturiers. Lenoir la peignit nue mais loupa la ressemblance du visage. À quelqu'un qui soulignait ce défaut, **SOPHIE ARNOULD** rétorqua : « Qu'est-ce que cela fait, Allard serait sans tête que tout Paris la reconnaîtrait. »

Réfléchir

Réfléchir n'a jamais empêché d'aimer, mais aimer empêche de réfléchir.

MARCELLE AUCLAIR,
L'Amour

Réforme

Dans le bon vieux temps, on reculait pour mieux sauter : les réformateurs, comme Turgot, sautent pour mieux reculer.

MARIE DU DEFFAND

Comme réforme, ils devraient supprimer le mois de novembre, parce qu'y en a marre de ce temps !

LAURENCE SÉMONIN,
Les Brèves de la Madeleine

Regard

Un homme peut parler d'amour à une femme avec inspiration, mais son regard, lui, est toujours bien concret.

HELEN ROWLAND,
Personality Speaking

Quand on regarde bien ce qui va bien, on a vite fait le tour de la question, pas besoin d'aller chez l'opticien pour voir que ça ne va pas si bien que ça. Quand on regarde bien ce qui va mal, souvent, ça va mal, mais pas si mal que ça.

FANNY JOLY,
La Si Jolie Vie de Sylvie Joly

Nous ne voyons jamais les choses telles qu'elles sont, nous les voyons telles que nous sommes.

ANAÏS NIN

Je m'arrange assez bien du regard de Dieu sur mes péchés, mais je n'y supporte pas le regard des autres.

FRANÇOISE CHANDERNAGOR,
L'Allée du Roi

Régime

Les régimes, comme les vêtements, doivent être taillés sur mesure.

JOAN RIVERS

J'ai fait un régime pendant deux semaines... vous savez combien j'ai perdu ? Deux semaines !

JOSIANE BALASKO

Qu'est-ce qu'un régime équilibré ? Tenir un sandwich dans chaque main.

JENNY WHITE

Si tu veux maigrir, mange !

MARYSE WOLINSKI,
titre de son livre sur les régimes

J'aurais bien dû me satisfaire
De mes succès au lit,
Mais j'avais lu dans Marie-Pierre :
« Perdez vos calories ! »
Maintenant, ma minceur étonne.
Je n'plais qu'aux couturiers.
Ils m'habillent...
Mais y a plus personne
Pour me déshabiller.

FRANÇOISE MALLET-JORIS, MICHEL GRISOLIA,
« Mes bourrelets d'antan »

À la curiste montée sur la balance, le docteur dit :
– Ne rentrez pas le ventre, ça ne sert à rien !
– Si, à voir les chiffres !

CHARLOTTE DE TURCKHEIM,
Mince alors !

Relais d'opinions

Voulez-vous faire valoir une opinion ? Adressez-vous aux femmes : elles les reçoivent aisément parce qu'elles sont ignorantes ; elles les répandent facilement parce qu'elles sont légères ; elles les soutiennent longtemps parce qu'elles sont têtues.

SUZANNE NECKER,
Mélanges

Religion

Ayant confié son fils à un établissement tenu par des jésuites, **NINON DE LENCLOS** demanda au principal : « Je vous prie surtout de lui inspirer de la religion, car mon fils n'est pas assez riche pour s'en passer. »

Chez nous, il est défendu de persécuter. Nous avons, il est vrai, des fanatiques qui, faute de persécution, se brûlent eux-mêmes, mais si ceux des autres pays en faisaient autant, il n'y aurait pas grand mal, le monde n'en serait que plus tranquille.

CATHERINE II DE RUSSIE,
Lettre à Voltaire, 28 novembre 1765

Rencontre

Quand un homme rencontre une femme qui lui plaît, c'est comme si, soudain, une fleur se piquait à la boutonnière.

LOUISE DE VILMORIN

Je fis, adolescente, la rencontre d'un prince enflammé, impétueux, traître comme tous les grands séducteurs : le jurançon.

COLETTE

– ... Moi, ça fait vingt ans que je prends le métro, j'ai jamais rencontré personne. Pendant des années, j'étais persuadée que l'homme de ma vie m'attendait dans chaque wagon, alors à chaque station je regardais les hommes monter.
– Et alors ?
– Ben rien, j'ai acheté une voiture.

CÉCILE TÉLERMAN,
Tout pour plaire

Renouvellement conjugal

Les hommes, il faut les renouveler de temps en temps : c'est comme les draps, ça s'aère !

ANÉMONE,
interview à France 2, avril 1993

Repartie

Henri IV, tombé depuis peu amoureux d'**HENRIETTE D'ENTRAGUES**, lui demanda :
– Par où faut-il que je passe pour aller dans votre chambre ?
– Sire, par l'église.

Lemierre. – D'Alembert a dit que j'avais fait faire un pas à la tragédie.
SOPHIE ARNOULD. – En avant ou en arrière ?

Napoléon. – Madame, vous aimez toujours autant les hommes ?
AIMÉE DE COIGNY. – Oui, Sire, surtout lorsqu'ils sont bien élevés.

Un vantard. – Madame, les femmes m'ont toujours réussi !
AUGUSTINE BROHAN. – Excepté madame votre mère !

Reproches

Pourquoi prétend-on que les femmes n'aiment que les sots alors qu'elles passent leur vie à reprocher à leur mari de manquer d'esprit ?

FRANÇOISE PARTURIER,
réponse à un journaliste

Réputation

Une femme. – Moi, ma chère, je tiens à ma réputation.
AUGUSTINE BROHAN. – Mon Dieu, pourquoi vous attacher toujours à ces petitesses ?

Respect

Roland Dorgelès écrit : « On ne respecte que les femmes qu'on ne désire pas. » Autrement dit, chaque fois qu'ils nous manquent de respect, il faudrait encore leur dire merci, puisqu'ils nous ont rassurées sur nos charmes !

ANNE-MARIE CARRIÈRE,
Dictionnaire des hommes

Résurrection

Le mort le plus chargé de couronnes d'immortelles aurait souvent tort de ressusciter.

CLAUDIA BACHI,
Coups d'éventail

Retraite

La retraite, qu'est-ce que c'est, sinon la permission officielle de rouiller ?

JANINE BOISSARD,
Une femme neuve

❖

À la retraite, ce ne sont pas les trois premiers mois les plus difficiles à passer, ce sont les trois derniers.

LUCILE GOMEZ,
Méfistofélix (blog sur Internet)

Réussite

Pour réussir dans la vie, il faut d'abord être reçu ; pour être reçu, il faut beaucoup recevoir, et pour recevoir, il faut avoir réussi.

LOUISE DE VILMORIN,
citée par Carmen Tessier, *Bibliothèque rosse*, II

❖

Un homme qui a réussi est un homme qui gagne plus d'argent que sa femme n'en dépense. Une femme qui a réussi est celle qui trouve un tel homme.

LANA TURNER

❖

Quoi que fasse une femme, elle doit le réussir deux fois mieux qu'un homme pour qu'on en pense autant de bien. Par chance, ce n'est pas difficile.

CHARLOTTE WHITTON,
dans *Canada Month*, juin 1963

Rêve

On rêve en vers, on vit en prose.

DANIEL DARC,
Petit bréviaire du Parisien

❖

Quel est le rêve qui vaut mieux que la réalité? – Rêver qu'on est marié.

COMTESSE DIANE,
Le Livre d'or

❖

Quelqu'un qui ne laisse pas la réalité déranger ses rêves est un sage.

CHRISTIANE SINGER,
La Mort viennoise

Riche

J'ai été pauvre, j'ai été riche... Croyez-moi, c'est beaucoup mieux d'être riche.

DOROTHY PARKER

❖

Les gens riches, en général, m'ennuient, car s'ils sont riches, c'est qu'ils ont réussi à garder leur argent, et cela implique que l'on dise non dix fois par jour à d'autres gens.

FRANÇOISE SAGAN,
Réponses

❖

Rien n'est si aisé que de mépriser les richesses... quand on est riche.

DANIEL DARC,
Petit bréviaire du Parisien

Rides

Il n'y a pas de doute, après un certain âge, on a trop de peau!

LOLEH BELLON

Si Dieu m'avait fait l'honneur de me consulter, je lui aurais conseillé de placer les rides des femmes sous le talon.

NINON DE LENCLOS

Mesdames, souriez, afin que plus tard vos rides soient bien placées.

Conseil attribué à **MADAME DE MAINTENON**

ANNA MAGNANI, à un retoucheur qui avait rajeuni son visage sur une photo: «Quoi?! J'ai mis cinquante ans à faire ces rides et vous vous permettez de les enlever!»

Dieu est si bon qu'il affaiblit notre vue au fur et à mesure que se creusent nos rides.

MARCELLE AUCLAIR,
L'Amour

Ridicule

Le ridicule est comme le loup, il ne tue que ceux qui ont peur de lui.

COMTESSE DIANE,
Les Glanes de vie

Rire

Tout, dans la vie, est une question de savoir-rire. Le rire, c'est ma thérapie.
L'amour, l'amitié, c'est surtout rire avec l'autre, c'est rire que de s'aimer.

ARLETTY,
Les Mots d'Arletty

❦

Ne craignons jamais de nous permettre les turlupinades qui viennent au bout de notre plume.

MARQUISE DE SÉVIGNÉ

❦

Si vous pouvez rire de quelque chose, vous pouvez vivre avec ce quelque chose.

ERMA BOMBECK

❦

La vie rit quelquefois avec nous, mais elle ne plaisante jamais.

ANNE BARRATIN,
De vous à moi

❦

Je succombe toujours aux gens qui rient. Les gens qui rient m'introduisent un instant dans leur propre tribu. Qu'est-ce qu'un rire, après tout ? Une explosion d'enfance partagée. C'est dans le rire que l'humanité nivelle ses différences et efface ses rides.

MONIQUE PROULX,
Le cœur est un muscle involontaire

Il faut rire de tout pour ne pas pleurer d'un rien.

CHARLOTTE DE TURCKHEIM

Ce qui ne nous tue pas nous rend plus rieur.

MARIANNE KEYES,
L'Autre Côté de l'histoire

Risque

Ne rien risquer est un risque encore plus grand !

ERICA JONG

Ronflement

L'homme est un chauffage d'appoint qui ronfle.

RITA RUDNER

Moi j'aurais jamais cru
Que j'penserais au divorce,
Mais l'idée m'est venue
Vers la fin d'la nuit de noces.

C'est pas que j'te déteste
Ou que j'veux t'voir mourir,
C'est juste que tu m'agresses
Chaque fois qu'tu respires.
Non, c'est pas qu'tu m'écœures
Ou que j'peux plus t'sentir,
Mais essaie de dormir
Dans la pelle d'un tracteur!
C'est pas qu't'es pas gentil,
C'est qu't'as dû avaler,
Lorsque t'étais petit,
Un moteur de Harley.
Chéri, tu ronfles!

LYNDA LEMAY,
« Chéri, tu ronfles »

Rosserie

La rosserie est l'un des sous-produits de la civilisation.

AUGUSTA AMIEL-LAPEYRE,
Pensées sauvages

AUGUSTINE BROHAN subissait le récit des exploits d'un chasseur :
– Je m'élance à la poursuite de l'animal... Soudain, dans un taillis... j'aperçois un mufle...
– Lui aussi!

La comédienne Théric frappe, avec insistance, à la porte de la loge d'**AUGUSTINE BROHAN** :

Théric. – Ouvrez-moi ! Ouvrez-moi !
Augustine Brohan. – Ah ça ! me prenez-vous pour une écaillère ?

Rougir

– J'aurai honte, je ne peux pas le lui dire en face.
– Mieux vaut rougir une fois que rosir cent fois.

ISABELLE MERGAULT,
Enfin veuve

Si je rougis parfois de ce que je fais, c'est de plaisir.

NATALIE CLIFFORD BARNEY,
Pensées d'une Amazone

Routine conjugale

Vivre dans l'ombre d'un homme qui a livré son âme à un couple de charentaises n'est pas très motivant. Cela dit, la routine conjugale a tout de même des aspects sympathiques. Vous n'avez plus de mauvaises surprises, par exemple, puisque vous connaissez par cœur ses réactions.

LAURENCE COCHET,
Y a-t-il de la place pour deux dans un couple ?

Royaliste

À Lyautey – militaire dans différentes colonies et, de plus, partisan du comte de Chambord – la poétesse **ANNA DE NOAILLES** dédicaça ainsi un exemplaire du *Cœur innombrable* : « Au maréchal Lyautey, au grand royaliste qui a donné un Empire à la République. »

Rudoiement conjugal

Pouvoir compter sur la fermeté de sa femme rassure le mari. N'ayez donc aucun scrupule à le rudoyer, à lui rappeler qu'il a payé la taxe foncière en retard, d'où pénalité et annulation du week-end à Deauville.

FRIGIDE BARJOT,
J'élève mon mari

Rue

La rue appartient à ceux qui y passent, pas à ceux qui y habitent.

DELPHINE DE GIRARDIN,
Lettres parisiennes

Rupture

« Libre », c'est le mot que l'on emploie pour les hommes. Des femmes en rupture de mariage ou de liaison, on dit qu'elles sont « seules ».

FRANÇOISE GIROUD,
Mon très cher amour

Après une rupture, je n'ai jamais assez détesté un homme pour lui rendre ses diamants.

ZSA ZSA GABOR

Russification

Depuis que je travaille à la Villette
Dans une usine de faux caviar,

Je suis russe, des pieds à la tête,
Je rentre le soir beaucoup trop... tsar.

[...]

Bien que je m'appelle Josiane
Et qu'mon mari s'appelle Bernard
Nos amours sont d'venues tziganes
Moi je ne trouve pas ça... movar

Il badine
Il butine
Il m'arrache mes après-ski
Il me bascule
Il me bouscule
C'est extra... vinski
Je réclame
Je lui clame
Du caviar dans mon sandwich
Mais il me rosse
Il me cabosse
Il me rosse trop... povitch.

FRANÇOISE MALLET-JORIS, MICHEL GRISOLIA,
« Moujik russe »

Rut

Palindrome: l'ami naturel? Le rut animal.

LOUISE DE VILMORIN

Sadisme

Au moins, les sadiques ne sont pas indifférents aux souffrances qu'ils causent.

NATALIE CLIFFORD BARNEY,
Pensées d'une Amazone

Sagesse

La plus grande sagesse de l'homme consiste à connaître ses folies.

MADAME DE SABLÉ,
Maximes

Saint-Valentin

Je voulais que la Saint-Valentin soit un moment vraiment spécial. J'ai attaché mon petit ami et, pendant trois bonnes heures, j'ai regardé ce que je voulais à la télé.

TRACY SMITH

Salaire

J'ai toujours pensé que les salaires devaient s'établir en raison inverse de l'intérêt que l'on prend à son travail.

FRANÇOISE GIROUD,
Journal d'une Parisienne

Sauvetage

– Un garçon qui plonge dans un tourbillon pour te sauver de la noyade, ça ne s'oublie pas.
– Oh! tu sais, j'ai sauté sans réfléchir.
– Ah bon, parce que, si tu avais réfléchi, tu n'aurais pas sauté!?

ISABELLE DE BOTTON, SOPHIE DESCHAMPS,
À trois c'est mieux

Savoir

Ceux qui ont la prétention de tout savoir n'ont pas souvent le talent de tout comprendre.

AUGUSTA AMIEL-LAPEYRE,
Pensées sauvages

Savoir mal, c'est la pire des ignorances.

ANNE BARRATIN,
De vous à moi

N'essayez pas d'apprendre quelque chose à un homme en public. Les hommes ne peuvent apprendre qu'en privé. En public, ils sont censés tout savoir.

RITA RUDNER

Scandale

Ce qu'il y a de scandaleux dans le scandale, c'est qu'on s'y habitue.

SIMONE DE BEAUVOIR,
interview au *Monde*, 1960

Science maritale

La science de certains maris consiste à savoir consulter leurs femmes.

ANNE BARRATIN,
De vous à moi

Scrupules

Les scrupules sont les obstacles que franchissent les bons coureurs.

MARGUERITE GRÉPON,
Lotissement-journal

Secret

Une femme peut très bien garder un secret... à condition qu'on ne lui dise pas que c'en est un.

COLETTE,
dans une interview

Quand on est tout petit, on ne parvient pas à garder un secret. C'est une étape de la croissance, comme le fait de devenir propre. Si on y réfléchit, c'est peut-être lié.

AMÉLIE NOTHOMB,
Le Fait du prince

Séduction

Personne n'est jeune après quarante ans, mais on peut être irrésistible à tout âge.

COCO CHANEL

Rien de si aimable qu'un homme séduisant, mais rien de si odieux qu'un séducteur.

SOPHIE ARNOULD,
Correspondance

Pour attirer les hommes, je porte un parfum qui s'appelle « Intérieur de voiture neuve » !

RITA RUDNER

Courbe : le plus court chemin pour... séduire un homme.

MICHELINE SANDREL,
Dictionnaire de ces sacrés Français

Beaucoup du charme des hommes est fait de l'ennui des femmes.

FRANÇOISE DORIN,
Pique et cœur

Il y a des gens à qui je fais la cour, et d'autres à qui je fais le jardin.

CATHERINE LARA

❀

Une femme qui écoute fleurette est prête à se rendre comme une ville assiégée qui demande un parlementaire.

NINON DE LENCLOS

❀

Même si tous les cintres anorexiques au regard de veau anémié qui tortillent du popotin sur les podiums, qui s'appellent mannequins et qui se croient superstars parce qu'elles ont débité trois platitudes crétines [à la télévision] sur la difficulté d'être à la fois belles, riches et connes comme une malle [...] mettaient en commun toute la classe dont on les croit habitées, elles n'arriveraient pas à atteindre un millième de la grâce naturelle de Françoise Fabian au réveil, en pyjama, en train de manger des Crusties de Kellogg's.

LAURENCE BOCCOLINI,
Je n'ai rien contre vous personnellement

Sens commun

Le sens commun, c'est justement le sens rare.

MADAME DE RÉMUSAT

Sentimentalité

Chez les femmes, la petite fleur bleue a des racines de chêne.

FRANÇOISE PARTURIER

❀

Sentimentalité : camelote du cœur.

NATALIE CLIFFORD-BARNEY,
Nouvelles pensées de l'Amazone

Séparation

Dans un couple, rien ne sert de pourrir, il faut partir à temps.

LOUISE LEBLANC,
Croque-messieurs

Sévérité

La sévérité bien ordonnée commence par soi-même.

GERMAINE DE STAËL

Sex-appeal

J'ai tellement peu de sex-appeal que mon gynécologue m'appelle
« monsieur ».

JOAN RIVERS

J'suis pas comme dans les magazines,
Fille en bas résille,
Femme sous cellophane,
Mais j'ai du sex-appeal alcaline
À l'heure des grandes marées
Qui font des vagues à l'âme.

ZAZIE,
« Avis au sexe fort »

Sexe

Quand on ne tient les hommes que par le sexe, on ne tient pas grand-chose!

GINETTE GARCIN,
Le Clan des veuves

Les hommes sont comme les poissons, c'est leur queue qui les fait changer de direction!

NOËLLE PERNA,
Mado fait son show

Le sexe a ses raisons que la raison ne connaît pas.

JEANNE STÉPHANI-CHERBULIEZ,
Le sexe a ses droits

Sexualité

Si la sexualité est une chose naturelle, comment se fait-il qu'il y ait tant de livres sur la manière de la pratiquer?

BETTE MIDLER

Je ne cours pas après la sexualité... elle me le rend bien!

MURIEL ROBIN,
«La solitude», *Tout m'énerve*

Un Don Juan tire sur tout ce qui bouge. La femme bouge sous tous ceux qui la tirent.

ANNE ROUMANOFF

Signature

C'est fini la sourdine !
Je rue dans les brancards !
Je suis Léopoldine,
La sœur de Mozart,
Et, comme la renommée
N'est pas un boomerang,
Je n'aurais pas dû le laisser signer
Wolfgang.

FRANÇOISE MALLET-JORIS, MICHEL GRISOLIA,
« Wolfgang et moi »

Silence

Le silence est la seule chose en or que les femmes détestent.

MARIE WILSON LITTLE

Le silence est plus tapageur que tout.

AMÉLIE NOTHOMB,
Mercure

Le silence peut être aussi nuancé que la parole.

EDITH WHARTON

Simplicité

Pour être simple, il faut beaucoup apprendre.

OLGA SEDAKOVA

❖

Devenir simple, c'est compliqué.

MISS TIC

Simulation

Le jour où les hommes arrêteront de simuler les préliminaires, nous arrêterons de simuler l'orgasme.

LAURENCE BOCCOLINI

❖

Les femmes peuvent faire semblant d'avoir un orgasme. Mais les hommes peuvent faire semblant d'avoir une relation amoureuse.

SHARON STONE

Sincérité

S'il ne faut pas toujours dire ce que l'on pense, il faut toujours penser ce que l'on dit.

MADAME DE LAMBERT

❖

Ce qui peut donner confiance dans la sincérité des opinions d'un homme, c'est de l'en voir changer.

MARGUERITE GRÉPON,
Lotissement-journal

Situations confortables

Il n'y a de platitude que dans les situations confortables : les rivières ne s'étalent qu'en plaine.

MARGUERITE GRÉPON,
Journal

Situation difficile

La plupart des femmes ont toujours assez d'esprit pour se tirer d'une situation difficile. Mieux vaudrait qu'elles aient eu celui de l'éviter.

MARQUISE DE SÉVIGNÉ,
Correspondance

Slogans

Quand Dieu créa l'homme, Elle plaisantait.

Slogan féministe américain de 1967

Il y a plus inconnu que le Soldat inconnu : sa femme.

Manifestation des féministes françaises
devant la flamme de l'Arc de triomphe,
le 26 août 1970

Il y a plus inconnue que la femme du Soldat inconnu : son amante lesbienne.

Manifestation des homosexuelles en 1999

Boulot, Omo, marmots. Y en a marre.

> Affiche du Mouvement de libération des femmes,
> 1971, variation sur la formule:
> «Métro boulot dodo» (du poète Pierre Béarn)

Viol de nuit – Terre des hommes.

> Manifestation féministe des années 1980

Sommeil

Madame, le sommeil est votre meilleur atout beauté si vous respectez certaines conditions: dormez la tête au nord, les pieds à l'est, les fesses à l'ouest et les bras au sud.

> **LES FILLES**
> (Michèle Bernier, Isabelle de Botton,
> Mimie Mathy), *C'est fort, fort, fort*

Sots

Nous ne pourrons jamais en vouloir à certains sots; ils nous ont trop fait rire.

> **MARIE VALYÈRE,**
> *Nuances morales*

Les sots sont faits pour être méprisés, en quelque état que la fortune les mette.

> **CHRISTINE DE SUÈDE,**
> *Maximes et pensées*

Les sots ne font point de grandes fautes ; la nature les a dédommagés de la sottise par la circonspection.

MADELEINE DE PUISIEUX,
Les Caractères

Une femme sotte et belle se plaignait d'être importunée par trop de soupirants.
MME DE GENLIS. – Il vous est pourtant bien facile de les éloigner. Vous n'avez qu'à parler !

Une femme. – Chère madame, que voulez-vous, on ne peut pas être et avoir été...
AUGUSTINE BROHAN. – Pardon ! on peut avoir été un imbécile et l'être encore !

Je ne nie pas que les femmes soient stupides ; le Dieu Tout-Puissant les fit les égales des hommes.

GEORGE ELIOT

J'ai fait un pacte avec moi-même, il y a très longtemps : ne jamais porter attention à plus stupide que soi. Ça m'a beaucoup aidée.

BETTE MIDLER

On peut savoir et être sot, comme avoir une belle voix et mal chanter.

ANNE BARRATIN,
Ce que je pense

Le sot n'a jamais conscience de ses défaites, il les pavoise comme des victoires.

MARIE VALYÈRE,
Nuances morales

Lorsque leur vanité ou leur désir est en jeu, les hommes sont toujours plus sots que leur femme l'imagine.

MARCELLE AUCLAIR,
Le Mauvais Cœur

Il n'y a pas pires crétins que les hommes qui ne sont même pas capables, de temps à autre, de naître de la dernière pluie!

FRED VARGAS,
Debout les morts!

Sottise

Être trop mécontent de soi est une faiblesse. Être trop content de soi est une sottise.

MADAME DE SABLÉ,
Maximes

Les sottises d'autrui nous doivent être plutôt une instruction qu'un sujet de nous moquer de ceux qui les font.

MADAME DE SABLÉ,
Maximes

⚜

L'orgueil fait faire tous les jours des miracles ou des sottises.

DUCHESSE DE CHOISEUL

⚜

Quand des gens intelligents veulent, à tout prix, boucher les trous d'une conversation, ils disent autant de sottises que les sots.

MARIE VALYÈRE,
Nuances morales

⚜

Aux grands esprits les grandes sottises : revanche !

ANNE BARRATIN,
De vous à moi

⚜

Une sottise dite par une vieille bouche est aussi sotte que dite par de jeunes lèvres.

MARCELLE AUCLAIR

Spirituel

Vous ne pouvez être spirituel que lorsque ceux qui vous entourent le sont aussi. Le coq a beau chanter aux canards, ils ne l'entendent pas.

CARMEN SYLVA,
Les Pensées d'une reine

Sport

Le plus fatigant dans le sport, c'est de trouver les raisons d'y aller.

SOLEDAD BRAVI

Succès

Le succès après quatre-vingt-cinq ans, c'est la moutarde après le repas.

MARIE GAGARINE

– Comment expliquez-vous votre large succès ?
– Les hommes m'aiment parce que je ne porte pas de soutien-gorge. Les femmes m'aiment parce que je n'ai pas l'air d'une femme qui va leur voler leurs hommes. Du moins, pour peu de temps.

JEAN HARLOW,
à une conférence de presse
pour *Les Anges de l'enfer*

Suffisance

La suffisance est un vernis qui fait merveilleusement reluire la bêtise.

COMTESSE DIANE,
Les Glanes de la vie

Suicide

La vie est trop courte pour se tuer ; ce n'est pas la peine de s'impatienter.

MARQUISE DE SÉVIGNÉ

– Ton suicide ? Mais tu as sauté du rez-de-chaussée !
– C'est faux, c'était de l'entresol !

JOSIANE BALASKO,
Un grand cri d'amour

❖

La meilleure raison, pour se suicider, c'est la peur de la mort.

AMÉLIE NOTHOMB,
La Métaphysique des tubes

Suisse

Les Suisses sont très propres, ils blanchissent l'argent, qui pourtant n'a pas d'odeur.

JEANNE FOLLY,
L'Encyclofolly

Supériorité

Toute supériorité est un exil.

DELPHINE DE GIRARDIN

❖

Les êtres supérieurs oublient volontiers leur supériorité, à condition que les autres s'en souviennent.

MARIE VALYÈRE,
Nuances morales

❖

Les fautes et les sottises des hommes supérieurs nous ravissent ; elles nous soulagent de l'admiration.

MADAME ROLAND

❖

La supériorité d'esprit chez une femme est un phénomène trop rare encore pour ne pas exciter la défiance du vulgaire.

DANIEL STERN,
Esquisses morales, pensées, réflexions et maximes

Une femme peut faire tout ce que peut faire un homme, et en plus elle peut faire des enfants.

MARLENE DIETRICH

Suprématie masculine

La suprématie masculine a mis la femme au tapis. Elle ne l'a pas mise KO.

CLARE BOOTHE LUCE

Surnoms

MARGUERITE MORENO adorait, actrice débutante, affubler des personnalités de sobriquets (inventés par elle ou colportés). Elle appelait Jules Claretie, réputé très conciliant, « l'entrepreneur de ménagements », Mounet-Sully, à la voix de stentor, « le rugisseur général de la Comédie-Française », la cantatrice imposante Felia Litvine, « Tanagra double », le vieil acteur Coquelin Aîné, « le connétable du déclin », Jeanne Hading, qui avait giflé un journaliste, « l'Hading aux marrons ».

D'après **LÉON GUILLOT DE SAIX** (1885-1964),
dans *Papiers égarés*, 5 (1937)

Tabac

AUGUSTINE BROHAN reprochait amicalement à Dumas fils d'abuser du tabac:
– Vous fumez trop!
– Mon père a soixante ans, et il fume continuellement!
– Soit! Mais, s'il n'avait pas fumé, il en aurait soixante-dix!

Un homme. – Le tricot, c'est votre tabac, à vous les femmes!
GERMAINE ACREMANT. – Oui, mais les mailles qui tombent ne font pas de trous dans le tapis!

Les gens viennent toujours vers moi et me disent que ma cigarette les dérange. Moi, ça me tue!

WENDY LIEBMAN

Taciturne

À propos du célèbre fabricant d'automates Vaucanson, très peu bavard :

Une dame. – Que pensez-vous de Vaucanson ?

MARIE DU DEFFAND. – Je pense qu'il s'est fait lui-même.

Rapporté par Pierre Larousse,
Grand Dictionnaire universel

❧

Les silencieux ne sont pas forcément des penseurs. Il y a des armoires fermées à clef qui sont vides.

MADELEINE BROHAN

Tactique

Tactique : savoir se faire demander comme une grâce ce qu'on brûle d'offrir.

DANIEL DARC,
Petit bréviaire du Parisien

Téléphone

Le téléphone... ce dinosaure grésillant qui dévore du temps et excrète du bavardage.

MONIQUE PROULX,
Le cœur est un muscle involontaire

❧

Il y a deux sortes de personnes, celles qui, quand le téléphone sonne, disent : « C'est qui encore ce chieur ? » et celles qui disent : « Tiens, qui ça peut bien être ? »

DANIÈLE THOMSON,
Fauteuils d'orchestre

❧

Le téléphone est une invention super. On peut discuter avec des gens sans avoir à leur payer un pot.

FRAN LEBOWITZ

Télévision

La différence entre le cinéma et la télévision ? Il suffit de comparer les réponses à la question « Qu'est-ce que tu as fait hier soir ? » : soit « Je suis allé au cinéma », soit « Rien ! j'ai regardé la télé ».

VALÉRIE LEMERCIER,
interviewée par Thierry Ardisson
(*Tout le monde en parle*, 1998)

Et vous pensez qu'en mettant un jour le son de la télé et, l'autre, l'image, vous ferez des économies ?

LES VAMPS

À son mari qui n'arrête pas de zapper d'une émission à une autre, la femme fait remarquer logiquement : « Mais si tu ne veux rien voir, pourquoi tu n'éteins pas la télé ? »

MAÏTENA,
Les Déjantées

La télévision n'est pas le reflet de ceux qui la font, mais de ceux qui la regardent.

FRANÇOISE GIROUD,
dans *Le Nouvel Observateur,*
6 décembre 2001

Non, je ne vais pas regarder la télé, je vais l'allumer, mais sans la regarder pour bien lui manifester mon mépris.

MARIA PACÔME,
Maria sans Pacôme

Temps

Il est des heures qui semblent être futées tant elles sonnent à propos.

ANNE BARRATIN,
De vous à moi

Les sentiments ? Ils aspirent à l'éternité et... ne passent pas la nuit.

FRANCE QUÉRÉ,
Au fil de l'autre

À cinquante ans, on est plus près de la mise à terre que de la remise en question.

DENISE BOMBARDIER

Un jour, le temps qui passe, ça devient le temps qui reste.

DANIÈLE THOMSON,
Fauteuils d'orchestre

Ils se contentent de tuer le temps en attendant que le temps les tue.

SIMONE DE BEAUVOIR,
Tous les hommes sont mortels

Le temps est un sérial qui leurre.

MISS TIC

Si on redoute le lendemain, c'est parce qu'on ne sait pas construire le présent, on se raconte qu'on le pourra demain et c'est fichu parce que demain finit toujours par devenir aujourd'hui, vous voyez ?

MURIEL BARBERY,
L'Élégance du hérisson

Théâtre

Le public n'écoute pas. Quand il écoute, il n'entend pas. Quand il entend, il ne comprend pas.

MADAME SIMONE

Jouer du Shakespeare est harassant. Impossible de s'asseoir, sauf si l'on joue un roi !

JOSEPHINE HULL

Il y a deux types de metteurs en scène : ceux qui croient être Dieu et ceux qui en sont persuadés.

RHETTA HUGHES

Ce Sacha Guitry, il ferait jouer une chaise.

PAULINE CARTON

Thérapie

Un copain m'a conseillé de faire une thérapie, et je me suis dit : « Pourquoi payer un inconnu qui m'écoute parler de mes problèmes quand je peux avoir des inconnus qui paient pour venir m'écouter parler ? » C'est ainsi que j'ai eu l'idée de faire cette tournée.

ELLEN DEGENERES

Titre

Je n'aime pas qu'on m'appelle « princesse ». Ceux qui savent savent et ceux qui ne savent pas n'ont pas à savoir.

MARIE GAGARINE

Tort

On a souvent tort par la façon que l'on a d'avoir raison.

SUZANNE NECKER

C'est avoir tort que d'avoir raison trop tôt.

MARGUERITE YOURCENAR,
Mémoires d'Hadrien

Le type qui a dit qu'on avait toujours tort de donner des explications avait cent fois raison !

AGATHA CHRISTIE,
N ou M

Traduction

Les traductions sont des domestiques qui vont porter un message de la part de leur maître et qui disent tout le contraire de ce qu'on leur a ordonné.

MARQUISE DE SÉVIGNÉ,
Correspondance

Trahison

On est toujours plus trompé qu'on ne pense, et moins trahi qu'on ne croit.

MARCELLE AUCLAIR,
L'Amour

Travail

La religion du travail est une intox.

CHRISTIANE ROCHEFORT,
Ma vie revue et corrigée

Quand on voit avec quoi certaines femmes sont mariées, on réalise combien elles doivent détester de travailler pour vivre.

HELEN ROWLAND,
Réflexions d'une célibataire

Ce n'est pas le travail difficile qui est monotone, c'est le travail superficiel.

EDITH HAMILTON

Le travail des femmes n'est pas un cadeau pour les femmes, c'est un cadeau pour la société.

COLINE SERREAU,
interviewée par Isabelle Alonso (2001)

Une tâche écrasante pour un rendement nul : abattre la forêt pour accoucher d'une boîte d'allumettes.

MARGUERITE GRÉPON,
Lotissement-journal

L'art de réussir consiste à savoir faire travailler les autres.

ALICE PARIZEAU,
Fuir

Tristesse

S'abandonner à la tristesse, c'est ne faire du mal qu'à soi-même et donner un grand plaisir à ses ennemis.

LA PRINCESSE PALATINE

Tromperie

Il n'y aurait que demi-mal d'être dupe, si l'on n'était, de plus, calomnié par le dupeur.

SUZANNE NECKER,
Mélanges

Mon père a tué ma mère parce qu'il croyait qu'elle le trompait. Et il s'est tué deux jours après parce qu'il s'était trompé.

TONIE MARSHALL,
Vénus Beauté (institut)

Tyrannie

L'homme a tellement besoin d'un maître qu'il accepte parfois un tyran.

AUGUSTA AMIEL-LAPEYRE,
Pensées sauvages

Ubu

« Ubu Roi » ? – Ubu Dieu.

NATALIE CLIFFORD BARNEY,
Pensées d'une Amazone

Université

CÉLESTE DE CHATEAUBRIAND reçut, un soir, dans son salon, plusieurs universitaires qui ne parlèrent que des problèmes de l'enseignement. N'y tenant plus devant tant de sérieux pesant, elle commenta, parodiant un vers célèbre de Lamotte-Houdar : « L'ennui naquit un jour de l'université. »

Urne

Notre député défunt est arrivé ce matin au crématorium. Pour une fois, il est sûr de remplir une urne.

DOMINIQUE DE LACOSTE,
En coup de vamp

Les anciens mettaient des cendres dans les urnes et nous, nos espoirs.

MICHELINE SANDREL,
Dictionnaire de ces sacrés Français

Urologue

Si un spécialiste d'urologie vous offre un verre, refusez-le !

ERMA BOMBECK

Vacances

Les vacances sont faites pour les gens actifs, mais les paresseux sont les premiers à en prendre.

ANNE BARRATIN,
De vous à moi

On n'a jamais autant besoin de vacances que lorsqu'on en revient.

ANN LANDERS

Vaincus

Quand un colosse tombe, les roquets accourent et lèvent la patte dessus.

DANIEL DARC,
Sagesse de poche

Valet

Il n'y a point de héros pour son valet de chambre[1].

ANNE-MARIE DE CORNUEL

Vanité

La vanité dominante des Français est celle de paraître opulents.

FRANÇOISE DE GRAFFIGNY,
Lettres d'une Péruvienne

✽

Si vous voulez avoir quelques succès dans le monde, il faut, en entrant dans un salon, que votre vanité fasse la révérence à celle des autres.

MARIE-THÉRÈSE GEOFFRIN

✽

---

1. Cette phrase devenue proverbiale fut commentée par le philosophe Hegel. Max Jacob l'inversa dans *Le Cornet à dés*: «Il n'y a pas de valet de chambre pour un grand homme.»

Le sot vit dans un éblouissement de lui-même qui l'empêche de voir le mérite d'autrui.

CLAUDIA BACHI,
Coups d'éventail

⚜

La vanité est de petite taille mais elle a des talons qui font du bruit.

ANNE BARRATIN,
De vous à moi

⚜

La vanité des femmes est telle que, pour paraître aimées, elles se passeraient fort bien de l'être.

LAURE D'ABRANTÈS,
Mémoires

⚜

Le vaniteux est tellement avide d'hommages qu'il se les rend à lui-même.

NATALIE CLIFFORD BARNEY,
Nouvelles pensées de l'Amazone

⚜

La vanité est le sexe du cerveau, caressez doucement.

DOMINIQUE ANDRÉ,
Cassandre

Variété

Il n'y a rien de si varié dans la nature que les plaisirs de l'amour, même s'ils sont toujours les mêmes.

NINON DE LENCLOS

Vélo

Le vélo! c'est bon pour la circulation; ça fait toujours une voiture de moins!

FRANÇOISE DORIN,
Les Bonshommes

Verdeur verbale

Mme de Grignan. – Ma mère, est-il vrai que vous ayez dit «foutre» l'autre soir dans un dîner?
MADAME DE SÉVIGNÉ. – Non, j'ai dit «f...» et j'ai passé «outre».

Quand vous n'aurez, chère maman, que des soupers de vieux paillards à faire, ne me choisissez pas, je vous prie. Il faut être patinée et tracassée par ces vieilles figures, à qui il faut branler pendant un temps infini un priape qui a plutôt l'air d'un parchemin plissé que d'un membre humain.

MARGUERITE GOURDAN,
Correspondance

La chanteuse **GABY MONTBREUSE** assistait à une soirée très arrosée. Au duc d'Uzès, qui avait descendu pas mal de verres, elle lança: «Mais vous buvez comme un trou, duc!»

Propos cité dans *Les Mots d'Arletty*

Traitant les Japonais de rats, les Anglais de pédés et la Bourse de vieille godasse dont on n'a rien à cirer, Édith Cresson est devenue un genre de Zazie grandie dans la haute. [...] Désormais, grâce à Édith, même très bien élevé, on peut dire : « La France, quel merdier ! » à condition d'ajouter « comme dirait Édith ».

SYLVIE CASTER,
dans *Le Canard enchaîné*

J'ai quitté mon amant anglais. Il m'a écrit : « Mon cœur et ma braguette vous seront toujours ouverts. » Je lui ai répondu : « Ne vous enrhumez pas, je ne suis pas près de revenir. »

FLORENCE FEYDEL

Vérité

Toutes les vérités ne sont pas bonnes à dire mais elles sont bonnes à entendre.

MARIE DU DEFFAND

Ce qui déplaît à la femme dans la vérité, ce n'est pas qu'on la lui dise mais qu'on la sache !

LOUISE D'ÉPINAY,
Mémoires

Le vrai est trop simple, il faut y arriver toujours par le compliqué.

GEORGE SAND,
Lettre à Armand Barbès, mai 1867

Nous cherchons la vérité, mais nous voulons seulement la trouver là où il nous plaît.

MARIE VON EBNER-ESCHENBACH,
Aphorismes

La vérité est une dame que l'on replonge volontiers dans son puits, après l'en avoir tirée.

DANIEL DARC,
Petit bréviaire du Parisien

Si tu veux voir clair, écoute ceux qui ne t'aiment pas.

ELISABETH KÜBLER-ROSS

On devait jouer, au théâtre que dirigeait la **GUIMARD**, *La Vérité dans le vin*. L'archevêque de Paris réussit à faire interdire le spectacle. «Il paraît, dit la danseuse, que Monseigneur ne veut pas que la Vérité sorte du tonneau plus que du puits.»

Vérité vraie

Une de nos folies a été de souhaiter de découvrir tous les dessous de cartes de toutes les choses que nous croyons voir et que nous ne voyons point [...]. Je souhaitai un cabinet tout tapissé de dessous de cartes au lieu de tableaux; cette folie nous mena bien loin et nous divertit fort.

MARQUISE DE SÉVIGNÉ,
Lettres à Mme de Grignan, 24 juillet 1675

Ce n'est pas s'unir à une femme qu'un homme redoute lorsqu'il pense à se marier ; c'est se séparer de toutes les autres.

HELEN ROWLAND,
A Guide to Men

⚜

Il y a des ménages parfaitement heureux, comme il y a un gros lot sur cinq cents millions de billets... pour allécher les indécis.

DANIEL DARC,
Petit bréviaire du Parisien

⚜

Quand ils me lancent des fleurs sur la scène, c'est pour voir si je peux encore les ramasser.

MARIA PACÔME,
Maria sans Pacôme

⚜

Les croix dorées sont généralement en plomb.

AUGUSTA AMIEL-LAPEYRE,
Pensées sauvages

⚜

Palindrome : la mariée ira mal.

LOUISE DE VILMORIN

Vertus

Il ne faut pas retourner certaines vertus : leur envers est plus laid que bien des vices.

DANIEL STERN,
Esquisses morales, pensées, réflexions et maximes

C'est bien rarement par vertu qu'on est vertueux.

DANIEL DARC,
Sagesse de poche

Vertus des femmes

La vertu des femmes est la plus belle invention des hommes.

NINON DE LENCLOS

On voudrait, comme ailleurs, que les femmes eussent du mérite et de la vertu. Mais il faudrait que la nature les fît ainsi ; car l'éducation qu'on leur donne est si opposée à la fin qu'on se propose, qu'elle me paraît être le chef-d'œuvre de l'inconséquence française.

FRANÇOISE DE GRAFFIGNY,
Lettres d'une Péruvienne

Vertus des hommes

De Charles de Longueville : « Jamais homme n'eut tant de solides vertus ; il ne lui manquait que des vices. »

MARQUISE DE SÉVIGNÉ,
Lettres à Mme de Grignan, 3 juillet 1672

Une femme qui parle de sa vertu cherche à la placer.

ANNE BARRATIN,
Pensées (dans *Œuvres posthumes*)

La vertu n'est pas désagréable par elle-même, ce qui la rend souvent exaspérante, ce sont les gens vertueux.

DANIEL DARC,
Sagesse de poche

Vêtement

L'habit à la grecque est bien plus commode et plus beau que les habits étriqués dont toute l'Europe fait usage et dont aucun sculpteur ne veut ni ne peut vêtir ses statues, de crainte de les faire paraître ridicules et mesquines.

CATHERINE II DE RUSSIE,
Lettre à Voltaire, 6 décembre 1768

Je ne m'habille pas, je me couvre.

SIMONE WEIL (très peu coquette)

Si une femme est mal habillée, on remarque sa robe, mais si elle est impeccablement vêtue, c'est elle que l'on remarque.

COCO CHANEL

À une collègue : « Tu es superbe, vraiment ! C'est qui, ton tailleur, maintenant ? »

MAE WEST

L'unique préoccupation d'un couturier doit être celle-ci : est-ce que cette robe donnerait à un homme l'envie de déshabiller la femme qui la portera ? Si oui, la robe est réussie.

FRANÇOISE PARTURIER,
Les lions sont lâchés

Vous voulez dire que cette dame fait exprès de s'habiller comme ça ?

DOROTHY PARKER

La carrière d'une star commence quand elle a du mal à entrer dans son chemisier ; elle se termine quand elle a du mal à entrer dans sa jupe.

ELSA MAXWELL

Que des femmes aient été condamnées parce qu'elles avaient osé porter des habits d'homme, c'est déjà aberrant, mais le comble, c'est qu'elles l'aient été par des hommes qui portaient la robe.

LOUISE LEBLANC,
Croque-messieurs

J'aime les nouveaux vêtements. Si, chaque jour, tout le monde, simplement, portait de nouveaux vêtements, je crois qu'il n'y aurait plus aucune dépression nerveuse.

SOPHIE KINSELLA,
Confessions d'une accro du shopping

J'ai reproché à mon amant anglais de me recevoir en pantoufles, alors que j'ai acheté, pour lui plaire, un petit ensemble avec dix mois de crédit Cofinoga. Il m'a répondu : « Est-ce que vous savez si je n'ai pas dix mois de crédit sur mes pantoufles ? »

FLORENCE FEYDEL

Veuvage

Orphée, dit-on, descendit chercher sa femme aux enfers, et tous les veufs de ma connaissance n'iraient pas au paradis retrouver la leur.

NINON DE LENCLOS

Il n'est pas commode d'être veuve, il faut reprendre toute la modestie de la jeune fille, sans pouvoir même feindre son ignorance.

DELPHINE DE GIRARDIN

C'est la première fois qu'elle perd son mari.

ISABELLE MERGAULT,
Enfin veuve

Ma mère qui n'avait été veuve qu'une fois en avait pratiquement l'habitude.

GENEVIÈVE DORMANN,
La Fanfaronne

Vicieuse

Une jolie femme vicieuse est un beau fruit dont le cœur est gâté.

SOPHIE ARNOULD

Vie

La vie commence quand on est grand, sans parents pour la former.

ANAÏS NIN,
Journal d'enfance

Il y a plusieurs vies dans une vie, et c'est bien cela qui nous la rend attrayante.

MARYSE WOLINSKI,
Chambre à part

C'est parce qu'on ne sait pas vivre qu'on trouve la vie mal faite.

CLAIRE DE LAMIRANDE,
La Pièce montée

La vie est toujours une corde raide ou un lit de plumes. Donnez-moi la corde raide.

EDITH WHARTON

Vie intéressante

Je ne sais pas si j'aimerais un homme qui me rendrait la vie facile,
j'en voudrais un qui me la rendrait intéressante.

EDITH WHARTON

Il faut bien vivre ! Bien vivre des autres.

NATALIE CLIFFORD BARNEY,
Nouvelles pensées de l'Amazone

Vieillesse

On vieillit plus par la fainéantise que par l'âge.

CHRISTINE DE SUÈDE,
Maximes et pensées

Si la jeunesse est la plus belle des fleurs, la vieillesse est le plus
savoureux des fruits.

ANNE-SOPHIE SWETCHINE,
Pensées

Les vieillards aiment les sucreries ; ils ont absorbé tant
d'amertumes !

AUGUSTA AMIEL-LAPEYRE,
Pensées sauvages

La première chose que les femmes savent, c'est qu'elles sont belles, la deuxième dont elles s'aperçoivent, c'est qu'elles sont vieilles.

VÉRA DE TALLEYRAND-PÉRIGORD

✤

On commence à s'apercevoir que l'on vieillit quand le poids des bougies dépasse celui du gâteau.

BETTE DAVIS

✤

Plus on approche de l'estuaire, plus on se souvient du ruisseau.

ANNE SYLVESTRE,
Partage des eaux

✤

La vieillesse est si longue qu'il ne faut pas la commencer trop tôt.

BENOÎTE GROULT

Vierge Marie

Si j'avais été la Vierge Marie, j'aurais dit « Non ! ».

MARGARET SMITH

Virilité

Que les hommes les plus intelligents, les plus fins, les plus savants mettent finalement toute leur fierté dans leur culotte, aussi émerveillés qu'inquiets devant les quelques centimètres qui les précèdent, prouve qu'il est normal que le monde soit fou.

FRANÇOISE PARTURIER

⚜

Pour quelques centimètres en plus, les hommes se sont sentis maîtres.

LOUISE LEBLANC,
Croque-messieurs

Vitesse

Inventer le Chronopost, c'est bien, mais faire la queue deux heures à la poste pour pouvoir l'envoyer, c'est stupide.

MICHÈLE BERNIER,
Le Petit Livre de Michèle Bernier

⚜

Aujourd'hui, plus ça va vite, plus ça prend du temps.

LOLA SÉMONIN,
Les Brèves de la Madeleine

Vocabulaire

Le monde appelle «fous» ceux qui ne sont pas fous de la folie commune.

MADAME ROLAND

⚜

Le français est une langue étonnante qui trouve «naturels» les enfants qui ne sont pas légitimes.

MICHELINE SANDREL,
Dictionnaire de ces sacrés Français

Dans «grisette», il y a «griserie», et pour cet alcool-là aucun Français n'est sobre.

MICHELINE SANDREL,
ibid.

Il se prépara un grand vocabulaire et attendit toute sa vie une idée.

NATALIE CLIFFORD BARNEY,
Pensées d'une Amazone

Un «homme fort» est un homme puissant, tandis qu'une «femme forte» est une grosse, [...] un «expert» est un scientifique mais une «experte» s'y connaît au plumard; un «professionnel» est un homme compétent et une «professionnelle» est une pute.

ISABELLE ALONSO,
Et encore, je m'retiens!

Selon qu'elle est boutonnée ou entrouverte, une chemise n'a pas la même signification. Il en est de même du vocabulaire.

MACHA MAKEÏEFF

Voiture

J'aimais sa voiture : c'était une lourde américaine décapotable qui correspondait plus à sa publicité qu'à ses goûts.

FRANÇOISE SAGAN,
Bonjour tristesse

Voyage

Je ne me demande pas où mènent les routes ; c'est pour le trajet que je pars.

ANNE HÉBERT,
Le Torrent (nouvelle « L'ange de Dominique »)

Le voyage n'est nécessaire qu'aux imaginations courtes.

COLETTE,
Belles saisons

Ce qu'il y a de bon dans les départs ? Ils commencent le retour.

YOLANDE CHÉNÉ,
Peur et amour

W-C

– Pourquoi voulez-vous fermer vos W-C de l'extérieur?
– Pour emprisonner mon mari s'il me trompe!
– Ben, dites donc! fait le serrurier, hilare, v'là un truc que je ne vais pas raconter à ma femme!

NICOLE DE BURON,
Chéri, tu m'écoutes? Alors répète ce que je viens de dire...

Woody Allen

Moi, y en a un, c'est mon chouchou, c'est Woody Allen. Ou plutôt Droopy Allen. Vous trouvez pas qu'il a un air de ressemblance avec le chien toujours tristounet de Tex Avery? Droopy, c'est: «*You know what? I'm happy...*», alors que Woody Allen, c'est: «*You know what? I'm so depressed!*»

CAROLINE LOEB,
Bon chic chroniques

Yaourt

«Yaourt allégé», ça veut dire : ils enlèvent du gras, ils ajoutent du prix.

ANNE ROUMANOFF,
sketch «Le supermarché»

Yeux

À quoi servent les yeux ? À être vus.

COMTESSE DIANE,
Le Livre d'or

Zapper

De nos jours, on applique la technique du zappage sur les plans intellectuel, psychologique et sentimental. Une opinion en chasse une autre, les émotions sont soumises au principe de la chaise musicale et le sens de l'indignation s'évapore au fur et à mesure qu'il prend forme.

DENISE BOMBARDIER,
Propos d'une moraliste

Zébrures

Une chose est sûre, les zébrures, c'est pas un système de camouflage. Enfilez un costume noir à rayures blanches, mettez-vous sur un fond jaune savane et vous comprendrez pourquoi. Non seulement le zèbre est un animal visible mais il fait mal aux yeux. Voilà pourquoi il énerve les lions. D'ailleurs on pense que, même si les lions étaient herbivores, ils égorgeraient les zèbres. Ne serait-ce que pour ne pas voir des raies à longueur de journée.

CHRISTINE BRAVO,
Les Grosses Bêtes

Zeugme

À propos d'un fort mécontentement dans la Gendarmerie nationale, la journaliste **BRIGITTE ROSSIGNEUX** inventa un attelage original, assimilable à un zeugme (*Le Canard enchaîné*, 24 octobre 2001) : « On est au bord de l'insurrection », prévient un général, frôlant l'apoplexie... et l'exagération.

Bibliographie sélective

Études et anthologies

ALEXIS Isabelle, *Brèves de filles*, François Bourin, 2010.

BIRMANT Julie, MEURISSE Catherine, *Drôles de femmes*, Dargaud, 2010.

BOUGEARD Alfred, *Les Moralistes oubliés*, Michel Lévy, 1858.

BRISSIE Gene, HOBBES Tom, *Jokes Men Won't Laugh At*, Penguin Group, 2002.

BRIALY Jean-Claude, *Les Pensées les plus drôles des acteurs*, Le cherche midi, 2006.

BRUNET Jeanne, *Le Livre d'or de l'esprit français*, Les Productions de Paris, 1962.

CASTELBAJAC Bernadette (de), *Les Mots les plus drôles de l'histoire*, Perrin, 1989.

CASTELBAJAC Bernadette (de), *Les Mots les plus méchants de l'histoire*, Perrin, 1998.

CHIFLET Jean-Loup, *Wit Spirit* n° 1 et 2, coll. Mots et Cie, Mango, 2000 et 2001.

CHIFLET Jean-Loup, *So irrésistible!* Chiflet et Cie, 2005.

COUSIN D'AVALLON Charles-Yves, *Staëliana*, Librairie politique, Paris, 1820.

DAG'NAUD Alain, DAZAT Olivier, *Dictionnaire inattendu des citations*, Hachette, 1983.

DELACOUR Jean, *Tout l'esprit français*, Albin Michel, 1974.

DEVILLE Albéric, *Arnoldiana ou Sophie Arnould et ses contemporaines*, 1813.

DU BLED Victor, *Quelques salons du Second Empire*, 1923.

DUHAMEL Jérôme, *Le Grand Méchant Bêtisier*, Albin Michel, 1991.

DUHAMEL Jérôme, *Le Bêtisier du XXᵉ siècle*, Jean-Claude Lattès, 1995.

DUHAMEL Jérôme, *Les Perles des misogynes*, Albin Michel, 2000.

GAGNIÈRE Claude, *Le Bouquin des citations*, Robert Laffont, 2000.

JOUBERT Lucie, *L'Humour du sexe. Le rire des filles*, Triptyque, Montréal, 2002.

JOUBERT Lucie, « Humour au féminin », dans *2000 ans de rire*, Presses universitaires de Franche-Comté, 2002.

JOUBERT Lucie, (dir.) « Humour québécois », revue *Humoresques* n° 25, décembre 2012, Corhum, Paris, 2007.

JOUBERT Lucie (dir.) « Les voies secrètes de l'humour des femmes », revue *Recherches féministes*, décembre 2012, université de Laval, Québec.

KUNDIG André, *Pensées féminines*, Genève, 1964.

LAFOND Jean, *Moralistes du XVIIᵉ siècle*, Paris, « Bouquins », Laffont, 1992.

LAROUSSE Pierre, *Grand Dictionnaire universel du XIXᵉ siècle*, 1866-1876.

LEEB Michel, *Le Meilleur de l'humour français*, Le cherche midi, 1992.

MALOUX Maurice, *Dictionnaire humoristique*, Albin Michel, 1965.

MALOUX Maurice, *L'Esprit à travers l'histoire*, Albin Michel, 1977.

MCPHEE Nancy, *The Complete Book of Insults*, Ed. Guild Publishing, London, 1972.

MONTCHAMP Louis (de), *L'Esprit des femmes célèbres*, Delahays, Paris, 1859.

Petit Livre des anecdotes les plus drôles (Le), Le cherche midi, 2006.

PIAT Jean, WAJSMAN Patrick, *Vous n'aurez pas le dernier mot*, Albin Michel, 2006.

ROUVIÈRE Jacques, *Dix siècles d'humour dans la littérature française*, Plon, 2005.

SHALIT Gene, *Great Hollywood Wit*, Martin's Griffin, 2003.

Stand-up. The World's Funniest Quotes, Nicotext, 2008.

STORA-SANDOR Judith, PILLET Élisabeth, « Armées d'humour. Rires au féminin », revue *Humoresques* n° 11, Paris, 2000.

TREICH Léon, *Histoires théâtrales*, Gallimard, 1925.

TUCKET Nan, *The Dumb Men Joke Book*, Warner Books Incorporated, 1992.

VERLANT Gilles *(et al.)*, *L'Encyclopédie de l'humour français*, Hors collection, 2002.

Sites sur Internet

www.evene.fr
www.dicocitations.com
www.gilles-jobin.org/citations/

Index des auteures

MARIE ABBATUCCI
Demoiselle d'honneur de la princesse Mathilde (XIXe siècle).
Amie d'Edmond de Goncourt.
221.

AGNÈS ABÉCASSIS
Romancière française (née en 1972).
Au secours, il veut m'épouser! (Calmann-Lévy, 2007), *Toubib or not toubib* (Calmann-Lévy, 2008), *Chouette, une ride!* (Calmann-Lévy, 2009).
77, 78, 100.

LAURE D'ABRANTÈS
Laure Junot, femme de lettres française (1784-1838).
Blanche (1839), *Mémoires* (1835).
151, 173, 334.

VICTORIA ABRIL
Actrice espagnole, francophone (née en 1959).
33, 246.

LOUISE ACKERMANN
Femme de lettres française (1813-1890).
Pensées d'une solitaire (Alphonse Lemerre, 1903).
104, 114, 265.

GERMAINE ACREMANT
Romancière française (1889-1986).
Ces dames aux chapeaux verts (Plon, 1921).
321.

MARIE D'AGOULT
Voir Daniel Stern.

MAÏTÉ ALBISTUR
Féministe française contemporaine.
Maïté Albistur et Daniel Armogathe, *L'Histoire du féminisme français du Moyen Âge à nos jours* (Des femmes, 1977).
226.

ISABELLE ALEXIS
Actrice et romancière française, contemporaine.
Tu vas rire, mais je te quitte (Plon, 2005), *Je n'irai pas chez le psy pour ce con* (Albin Michel, 2009), *Brèves de filles* (Bourin, 2010).
353.

JOSETTE ALIA
Journaliste française (née en 1929).
269.

GRACIE ALLEN
Actrice américaine (1895-1964).
165, 241.

ISABELLE ALONSO
Auteure, chroniqueuse et féministe française (née en 1953).
Et encore, je m'retiens! (Robert Laffont, 1995), *Tous les hommes sont égaux, même les femmes* (Robert Laffont, 1999), *Même pas mâle* (Laffont, 2007).
111, 125, 149, 200, 274, 328, 347.

AUGUSTA AMIEL-LAPEYRE
Moraliste française. Mère du dramaturge Denys Amiel (1884-1977).
Pensées sauvages (Sansot, 1909, et Desclée de Brouwer, 1930 puis 1935).
34, 38, 39, 49, 52, 64, 91, 107, 162, 202, 299, 304, 329, 338, 344.

DOMINIQUE ANDRÉ
Auteure française du XXᵉ siècle.
Cassandre (Paris, Le Divan, 1933), *Suite à Cassandre* (*ibid.*, 1947).
65, 95, 146, 180, 184, 334.

ANÉMONE
Comédienne française (née en 1950).
75, 130, 292.

SOPHIA ARAM
Humoriste française contemporaine (née en 1973).
Coauteure avec Benoît Cambillard de *Du plomb dans la tête* (2007), *Crise de foi* (2010).
115, 179.

MADAME D'ARCONVILLE
Femme de lettres et de sciences française, traductrice (1720-1805).
Mélanges de littérature, de morale et de physique (1775, 7 vol.).
55.

FANNY ARDANT
Actrice française (née en 1949).
264.

CHRISTINE ARFEUILLÈRES
Publicitaire française contemporaine.
Rédactrice-conceptrice chez Havas. Présidente d'Arfeuillères & associés.
Don Patillo veille au grain! Petit

Patillo Sacré gourmand! (Panzani, 1995).
244.

ARLETTY
Actrice française (1898-1992).
Les Mots d'Arletty (Éditions Fanval, 1988).
14, 51, 62, 79, 92, 155, 181, 193, 209, 230, 255, 270, 297.

MICHÈLE ARNAUD
Chanteuse française, productrice de télévision (1919-1998). Elle promut le duo fantaisiste de Darras et Noiret et fut aux commandes, à partir de 1963, d'une émission à scandale, *Les raisins verts* (humour noir à la sauce Averty).
175.

CHRISTINE ARNOTHY
Romancière française (née en 1934).
Un type merveilleux (Flammarion, 1972), *Une rentrée littéraire* (Fayard, 2004).
27, 165, 235.

SOPHIE ARNOULD
Actrice et cantatrice (1744-1802). Ses bons mots ont été recueillis par Albéric Deville dans *Arnoldiana*. Certaines reparties ont été aussi attribuées à Rivarol.
13, 30, 34, 40, 41, 58, 62, 63, 91, 98, 123, 133, 137, 167, 177, 193, 195, 203, 207, 213, 216, 221, 238, 252, 256, 260, 266, 275, 285, 287, 292, 306, 343.

LYDIE AUBERNON
Femme de lettres française (1825-1899). Surnommée la «précieuse radicale», alliant beauté et intelligence, elle tint salon à Paris dès 1853.
147, 284.

MARCELLE AUCLAIR
Journaliste et femme de lettres française (1899-1983).
Un mauvais cœur (Seuil, 1957), *L'Amour* (Hachette, 1963).
78, 102, 111, 138, 197, 227, 257, 286, 288, 296, 315, 316, 327.

LISA AZUELOS
Réalisatrice et scénariste de films (née en 1965).
Comme t'y es belle (2006).
79, 214.

CLAUDIA BACHI
Auteure française, poétesse et moraliste (1820-1864).
Coups d'éventail (1856), *Feuilles au vent* (dans *L'Année littéraire et dramatique*, 1864).
30, 78, 112, 113, 192, 224, 234, 281, 293, 334.

JOSIANE BALASKO
Comédienne et auteure française (née en 1950).

Membre de l'équipe du Splendid («Les Bronzés»).
L'Ex-Femme de ma vie (1989), *Un grand cri d'amour* (1998), *Cliente* (film, 2008).
50, 123, 212, 251, 277, 289, 318.

LOUISE BALTHY
Chanteuse fantaisiste (1867-1925).
249.

FLORA BALZANO
Romancière franco-québécoise (née en 1951).
Soigne ta chute, Éditions XYZ, 1991.
92.

BARBARA
Auteure française, compositrice et interprète (1930-1997).
113, 132, 209.

MURIEL BARBERY
Romancière française (née en 1969).
L'Élégance du hérisson (Gallimard, 2006).
111, 245, 281, 325.

BRIGITTE BARDOT
Actrice française (née en 1934).
73, 81, 246.

FRIGIDE BARJOT
Humoriste française contemporaine (née en 1962).
Animatrice, avec son mari Basile de Koch, du groupe Jalons qui a publié des pastiches parodiques de journaux et organisé des manifestations loufoques. *J'élève mon mari* (Jean-Claude Lattès, 2001).
179, 286, 301.

ROSEANNE BARR
Actrice et réalisatrice américaine (née en 1952).
125, 212, 214, 224, 225.

ANNE BARRATIN
Auteure française (1845-1911).
Ce que je pense, De vous à moi (1892), *Œuvres posthumes* (dont *Pensées,* Alphonse Lemerre, 1920).
18, 35, 46, 64, 86, 134, 160, 186, 190, 226, 233, 253, 257, 262, 263, 265, 276, 281, 297, 304, 305, 315, 316, 324, 332, 334, 340.

ANNE DE BARTILLAT
Romancière, journaliste française, créatrice de mots-valises (née en 1953).
Le Fauxcabulaire (Stock, 1999), *Et toi, tu vis toute seule ?* (Albin Michel, 2002), *Les Blagues du Père Noël* (De Fallois, 2006).
47, 79, 239, 266, 279.

STÉPHANIE BATAILLE
Humoriste française contemporaine.
One-woman-show *Les Hommes* (2005).
250.

GERMAINE BEAUMONT
Journaliste et romancière française (1890-1983).
Si je devais... (Le Dilettante, 2005).
247.

CATHERINE BEAUNEZ
Dessinatrice française d'humour.
Mes partouzes (Glénat, 1984), *Je suis une nature* (Glénat, 1989), *Liberté chérie* (Albin Michel-L'Écho des Savanes, 1992), *On les aura* (Au Diable vauvert, 2001).
226.

DIANE DE BEAUSACQ
Voir Comtesse Diane.

SIMONE DE BEAUVOIR
Romancière et philosophe française (1908-1986).
Le Deuxième Sexe (Gallimard, 1949), *Les Mandarins* (Gallimard, 1954), *La Force de l'âge* (Gallimard, 1960), *La Femme rompue* (Gallimard, 1968), *Les Belles Images* (Gallimard, 1966), *Tous les hommes sont mortels* (Gallimard, 1946).
27, 68, 122, 188, 210, 219, 235, 305, 325.

MARGUERITE BELLANGER
Comédienne française (1838-1886).
Surnommée «la Montespan de Napoléon III».
257.

LOLEH BELLON
Actrice et auteure française (1925-1999).
Le Cœur sur la main (1980).
296.

NABILA BEN YOUSSEF
Humoriste contemporaine, d'origine maghrébine et demeurant au Québec (née en 1964).
One-woman-show *Arabe et cochonne bio* (2007).
45.

SIMONE BERNARD-DUPRÉ
Avocate et auteure française contemporaine.
Mélopée africaine (2005).
126.

SARAH BERNHARDT
Comédienne française (1844-1923).
Entra au Théâtre-Français à dix-huit ans.
Ma double vie (Charpentier et Fasquelle, 1907).
25, 99, 131, 137, 139, 173, 207.

JOVETTE BERNIER
Journaliste, auteure, québécoise (1900-1981).
Non monsieur (1969).
Scénariste du feuilleton radiophonique *Quelles nouvelles,* féministe et humoristique (ondes de CBF, de 1939 à 1958).
87, 92.

MICHÈLE BERNIER
Humoriste française (née en 1956).
Membre du trio «Les Filles».
Le Démon de midi (2000), *Les histoires d'amour commencent toujours bien* (Michel Lafon, 2001), *C'est fort, fort, fort* (1993, avec «Les Filles»), *Le Petit Livre de Michèle Bernier* (Presses du Châtelet, 2003).
Voir aussi Les Filles.
36, 51, 70, 72, 77, 92, 178, 236, 249, 313, 346.

LOUKY BERSIANIK
Auteure contemporaine, féministe et québécoise (1930-2011).
L'Euguélionne (Hachette, 1976).
152, 168, 171, 242.

ROSE BERTIN
Modiste française (1747-1813).
Elle conseilla la reine Marie-Antoinette.
245.

ELIZABETH BIBESCO
Femme de lettres anglophone (1897-1945).
The Fir and the Palm (*Le Sapin et le Palmier*), 1924.
26.

MARTHE BIBESCO
Femme de lettres française, d'origine roumaine. Amie de Colette, de Louise de Vilmorin, de l'abbé Mugnier (1886-1973).
140.

AGNÈS BIHL
Auteure-chanteuse française (née en 1974).
Albums : *La Terre est blonde* (2001), *Merci maman merci papa* (2005), *Demandez le programme* (2007).
116, 217, 221, 278.

JASMINE BIRTLES
Journaliste et humoriste anglaise contemporaine.
One-woman-shows : *How to be Rich Without Really Trying* [*Comment être riche sans vraiment essayer*] (2005), *The Money Magpie : I Can Help You Ditch Your Debts, Make Money and Save 1000s* (2009).
75.

MARIE-CLAIRE BLAIS
Auteure québécoise (née en 1939).
Un joualonais, sa joualonie (1973).
142.

MARGUERITE DE BLESSINGTON
Comtesse et écrivaine irlandaise (1789-1849).
Pensées décousues.
37, 42, 110.

ADÉLAÏDE DE BLOCQUEVILLE
Femme de lettres française (1815-1892).
Pensées d'hiver (1884), *Pensées et souvenirs* (1894).
184.

CLAIRE BOAS DE JOUVENEL
Femme de lettres qui tenait un salon à Paris sous la IIIe République. Sous le pseudonyme d'Ariel, elle publia *Histoires pour grands et petits* (1929).
66.

LAURENCE BOCCOLINI
Chroniqueuse humoriste, actrice française (née en 1963).
Je n'ai rien contre vous personnellement (J'ai lu, 1995).
17, 18, 85, 128, 307, 311.

JANINE BOISSARD
Auteure française (née en 1937).
Une femme neuve (Fayard, 1980), *Claire et le Bonheur* (Fayard, 1979).
193, 294.

DENISE BOMBARDIER
Auteure, journaliste et polémiste québécoise (née en 1941).
Aimez-moi les uns les autres (Seuil, 1999), *Lettre ouverte aux Français qui se croient le nombril du monde* (Albin Michel, 2000), *Ouf!* (Albin Michel, 2002).
90, 144, 156, 324, 350.

MARIE BONAPARTE
Psychanalyste et auteure française (1882-1962).
Traductrice de l'étude de S. Freud, *Le mot d'esprit et ses rapports avec l'inconscient*, Gallimard, 1930.

Les Glanes des jours, PUF, 1950.
134, 192

MATHILDE BONAPARTE
Voir Princesse Mathilde.

PAULINE BONAPARTE
Sœur de Napoléon (1780-1825).
90.

ISABELLE DE BOTTON
Comédienne et scénariste égypto-française (née en 1952).
Membre du trio « Les Filles ».
Avec « Les Filles », *C'est fort, fort, fort* (Albin Michel, 1993). Avec Sophie Deschamps, *À trois c'est mieux* (téléfilm, 2003).
Voir aussi Les Filles.
51, 218, 304, 313.

MARQUISE DE BOUFFLERS
Maîtresse du beau-père de Louis XV (1711-1787).
174.

ANNE GENEVIÈVE DE BOURBON
Duchesse de Longueville (1619-1679).
258.

DUCHESSSE DE BOURGOGNE
Marie-Adélaïde de Savoie, épouse du duc de Bourgogne (1685-1712). Mère du futur Louis XV.
269.

SOLEDAD BRAVI
Illustratrice française et dessinatrice d'humour (née en 1965).
Dessine dans *Elle*.
317.

CHRISTINE BRAVO
Auteure et journaliste, animatrice de télévision (née en 1956).
Un érotisme inattendu (Michel Lafon, 1993), *Les Grosses Bêtes* (Michel Lafon, 1994).
166, 278, 350.

CLAIRE BRETÉCHER
Dessinatrice française contemporaine (née en 1940).
Plusieurs séries de BD (*Les Frustrées*, *Agrippine...*).
26, 31, 126, 270.

AUGUSTINE BROHAN
Actrice française (1824-1893).
Sociétaire de la Comédie-Française.
16, 55, 90, 123, 134, 166, 177, 184, 207, 221, 224, 228, 237, 248, 292, 293, 299, 300, 314, 321.

MADELEINE BROHAN
Actrice française (1833-1900).
Sociétaire de la Comédie-Française.
112, 127, 260, 322.

SANDRA BULLOCK
Actrice américaine (née en 1964).
59, 84.

NICOLE DE BURON
Journaliste, écrivaine française (née en 1929).
Chéri tu m'écoutes ? Alors répète ce que je viens de dire... (Plon, 1998), *Docteur, puis-je vous voir... avant six mois ?* (Plon, 2004).
46, 118, 349.

ANNE-MARIE CARRIÈRE
Chansonnière française (1925-2006).
Animatrice d'émissions radiotélévisées (*L'humour au féminin, C'est pas sérieux*), elle est l'auteure de *Dictionnaire des hommes* (La Pensée moderne, 1962), *Poèmes à rire et à sourire* (Art et comédie, 2001).
28, 42, 45, 59, 94, 116, 119, 120, 148, 200, 202, 214, 241, 293.

PATRICIA M. CARLSON
Auteure américaine de romans policiers (née en 1940).
La Rivière assassine (1999).
28, 100.

MARTINE CAROL
Actrice française (1920-1967).
279.

PAULINE CARTON
Comédienne française (1884-1974).
Les Théâtres de Carton (Librairie Académique Perrin, 1938).
53, 62, 136, 198, 326.

DUCHESSE DE CHOISEUL
Née Louise-Honorine Crozat du Chatel (1740-1801).
Lettres de Mme de Choiseul.
316.

JULIE CHOJECKI
Épouse de Charles-Edmond Chojecki (1822-1899), journaliste polonais, installé en France.
44.

AGATHA CHRISTIE
Romancière anglaise (1890-1976).
N ou M (1947).
45, 327.

CHRISTINE DE SUÈDE
Reine de Suède (1626-1689).
Maximes et pensées (1682).
70, 119, 129, 174, 180, 220, 264, 313, 344.

COMTESSE CLAUZEL
Femme du général Clauzel (1786-1841).
82.

NATALIE CLIFFORD BARNEY
Auteure d'expression française, d'origine américaine (1876-1972). Homosexuelle, elle vint vivre en France. *Éparpillements* (1910), *Pensées d'une Amazone* (1920), *Nouvelles pensées de l'Amazone* (1939).
16, 31, 32, 44, 45, 65, 96, 109, 110, **111, 115, 143, 149, 164, 167, 185, 186, 194, 201, 219, 229, 260, 274, 275, 286, 300, 303, 308, 331, 334, 344, 347.**

LAURENCE COCHET
Journaliste française contemporaine (née en 1953).
On va y arriver! (Michel Lafon, 2004).
153, 210, 300.

AIMÉE DE COIGNY
Femme d'esprit française (1769-1820).
Journal.
131, 134, 155, 162, 272, 292.

COLETTE
Auteure française (1873-1954). Romancière, chroniqueuse (musique, spectacles).
Claudine à l'école, En pays connu, Lettres au petit corsaire, Au concert (1903), *Chambre d'hôtel* (1940), *Journal à rebours* (Fayard, 1941), *Ces plaisirs* (1950)...
37, 39, 40, 41, 64, 69, 103, 104, 120, 122, 135, 141, 150, 154, 178, 184, 199, 205, 231, 237, 238, 250, 264, 273, 291, 305, 348.

CHRISTIANE COLLANGE
Auteure et journaliste française (née en 1930). Se définit comme «vie-priviste et familiologue».

Ça va les hommes ? (1981).
162, 176, 276.

LAURE CONAN
De son vrai nom Félicité Angers,
femme de lettres québécoise
(1845-1924).
45, 185, 250.

JILL CONSIDINE
Trompettiste américaine contemporaine.
114.

LOUISE CONTAT
Comédienne du Théâtre-Français
(1760-1813).
Elle créa le rôle de Suzanne dans
Le Mariage de Figaro.
60.

PRINCESSE DE CONTI
Anne Marie Martinozzi (1639-1672)
épouse d'Armand de Bourbon,
prince de Conti (1629-1666).
197.

ANNE-MARIE DE CORNUEL
Célèbre femme d'esprit (1614-1694)
que citent Mme de Sévigné ou
Tallemant des Réaux. « Sa raillerie
est toujours fondée sur le bon sens
et la raison, mais n'épargne personne » (Saint-Simon).
58, 98, 140, 162, 248, 333.

MARQUISE DE CRÉQUI
Femme de lettres (1704-1803).
113.

MADAME CUVIER
Épouse (1764-1849) du paléontologue Georges Cuvier.
283.

MARGUERITE DARDENNE DE LA GRANGERIE
Voir Philippe Gerfaut.

DANIEL DARC
Pseudonyme de Marie Régnier
(XIXᵉ siècle).
Revanche posthume (1878), *Petit
bréviaire du Parisien* (1883), *Sagesse
de poche* (Ollendorf, 1885).
**23, 29, 32, 51, 64, 95, 108, 109, 127,
145, 164, 168, 218, 223, 229, 255,
262, 263, 295, 296, 322, 333, 337,
338, 339, 340.**

RENÉE DAVID
Membre de l'Académie des mots-croisés.
Elle créa, en 1926, *Le Journal des
mots-croisés et des jeux de société.*
239.

BETTE DAVIS
Actrice américaine (1908-1989).
Elle n'avait pas sa langue de vipère
dans sa poche.
25, 345.

PHYLLIS DILLER
Actrice américaine (née en 1917), célèbre pour ses reparties.
63, 76, 152, 185, 225, 265.

FATOU DIOME
Écrivaine sénégalaise (née en 1968). *Le Ventre de l'Atlantique* (Anne Carrière, 2003).
120.

FRANÇOISE DORIN
Romancière et dramaturge (née en 1928).
Va voir maman, papa travaille (1976), *Les Bonshommes* (1970), *L'Âge en question* (1986), *Pique et cœur* (1993), *Les Lettres que je n'ai pas envoyées* (Plon, 2009).
81, 123, 186, 193, 199, 220, 269, 306, 335.

GENEVIÈVE DORMANN
Journaliste, écrivaine (née en 1933).
La Fanfaronne (1959), Le Bateau du courrier (1974), *Mickey l'ange* (1980).
80, 94, 97, 189, 230, 343.

MARIE DRESSLER
Actrice américaine (1868-1934).
93, 154.

CHANTAL DUPILLE
Écrivaine, journaliste française (née en 1944), candidate à l'Académie française en 1976.

Moi, j'aime pas Giscard! (Baland, 1975).
267.

CLAIRE DE DURAS
Écrivaine française (1777-1828), féministe, amie de Germaine de Staël.
23.

MARGUERITE DURAS
Romancière et dramaturge française (1914-1996).
66, 151, 234.

BÉATRIX DUSSANE
Actrice française, conférencière et auteure (1888-1969).
91.

MADAME DUSSÈRE
Citée par Louis de Montchamp, *L'Esprit des femmes* (1858).
139.

MARIE VON EBNER-ESCHENBACH
Écrivaine autrichienne (1830-1916).
Aphorismes.
54, 188, 337.

MARIA EDGEWORTH
Romancière anglo-irlandaise (1767-1849).
Château Rackrent (1801).
32, 131, 152, 253.

Marie-Chantal fait son cabaret (2008).
170, 220, 276, 336, 342.

LES FILLES
Trio humoristique (Michèle Bernier, Isabelle de Botton et Mimie Mathy), créé en 1988.
C'est fort, fort, fort (Albin Michel, 1993). Spectacles: *Existe en trois tailles* (1988), *Le Gros N'avion* (1991).
51, 313.

MICHÈLE FITOUSSI
Journaliste et romancière (1954).
Le Ras-le-Bol des Superwomen (Calmann-Lévy, 1987).
240, 256.

JEANNE FOLLY
Journaliste française contemporaine (*Charlie mensuel, Le Matin*). Humoriste aux *Tribunal des flagrants délires* (France Inter, 1980-1983).
L'Encyclofolly (Mots et Cie, 2004).
237, 280, 318.

MADAME DE FONTAINES
Romancière du XVIIIe siècle, amie de Voltaire (1660-1730).
Histoire de la comtesse de Savoie (1726).
223.

MLLE FONTETTE DE SOMMERY
Auteure française (XVIIIe siècle).

Doutes sur différentes opinions reçues dans la société (2e édition: 1783).
133.

FLORENCE FORESTI
Humoriste et comédienne française (née en 1973).
One-woman-show *Mother Fucker* (2009).
53, 130, 219, 252.

GENEVIÈVE FRAISSE
Auteure française (née en 1948).
Les Femmes et leur histoire (Gallimard, 1998), *La Controverse des sexes* (Presses universitaires de France, 2001).
201.

DAWN FRENCH
Actrice comique britannique, plantureuse (née en 1957).
Coscénariste (avec Jennifer Saunders) de la série TV *French and Saunders* (1987), *Dear Fatty* (2006).
154.128

MARILYN FRENCH
Écrivaine féministe américaine (1929-2009).
Toilettes pour femmes (1981).
132.

ZSA ZSA GABOR
Actrice américaine d'origine hongroise (née en 1917).

Connue pour ses reparties... et ses neuf mariages.
18, 138, 142, 213, 267, 301.

MARIE GAGARINE
Née Marie Belsky. Écrivaine d'expression française.
Émigrée de Russie après la révolution bolchevique.
Épouse du prince Wladimir Gagarine.
Blonds étaient les blés d'Ukraine (J'ai lu, 1999), *Le Thé chez la comtesse* (J'ai lu, 1999).
317, 326.

MARIE-FRANCE GARAUD
Femme politique française (née en 1934).
Elle a fondé, en 1982, l'Institut international de géopolitique.
76, 135, 228, 268, 269, 272, 278.

GINETTE GARCIN
Comédienne et auteure dramatique française (1928-2010).
Le Clan des veuves (1990).
103, 309.

ANNA GAVALDA
Auteure française (née en 1970).
Ensemble, c'est tout (Le Dilettante, 2004).
92, 243, 273.

DELPHINE GAY
Voir Delphine de Girardin.

SOPHIE GAY
Femme de lettres française (1776-1852).
Mère de Delphine, épouse de Girardin.
62.

MADAME DE GENLIS
Femme de lettres française (1746-1830).
Le Petit La Bruyère, suivi de *Recueil de pensées diverses* (1801).
134, 155, 160, 198, 204, 250, 251, 314.

MARIE-THÉRÈSE GEOFFRIN
Salonnière française (1699-1777).
260, 333.

MADAME GEORGE-DAY
Poétesse et romancière française.
Pseudonyme de Josette Debeauvais (1893-1971).
Propos sur l'homme (Le Dauphin, 1957).
167.

PHILIPPE GERFAUT
Pseudonyme de Marguerite Dardenne de La Grangerie. Femme de lettres du XIXᵉ siècle.
Pensées d'automne (C. Lévy, 1882).
38.

DELPHINE DE GIRARDIN
Née Delphine Gay, femme d'Émile de Girardin (1804-1855).

A pris le pseudonyme de «vicomte de Launay» pour ses chroniques dans *La Presse* (de 1836 à 1848). *L'École des journalistes* (comédie, Dumont, 1839), *Lettres parisiennes* (Charpentier, 1843), *Les Chroniques parisiennes* (réédition Des Femmes, 1986).
17, 23, 25, 35, 38, 58, 71, 72, 96, 112, 117, 127, 133, 143, 155, 183, 185, 188, 247, 253, 281, 301, 318, 342.

FRANÇOISE GIROUD
Journaliste et auteure française (1916-2003).
Dialoguiste de *L'Amour, madame* (Gilles Grangier, 1952).
Françoise Giroud vous présente le Tout-Paris (1952), *Ce que je crois* (1978), *Leçons particulières* (1990).
47, 68, 80, 87, 90, 105, 117, 125, 135, 145, 168, 186, 187, 212, 249, 254, 269, 271, 277, 301, 304, 323.

ALICE GLYNN
Auteure anglophone contemporaine.
140.

MARIELLE GOITSCHEL
Skieuse française (née en 1945).
Championne olympique en 1964 et 1968.
93.

LUCILE GOMEZ
Dessinatrice française, bédéiste (née en 1980).
Des seins (Le Cycliste, 2006).
294.

MARGUERITE GOURDAN
«Surintendante des plaisirs de la Cour et de la Ville» (décédée en 1783).
Correspondance.
335.

FRANÇOISE DE GRAFFIGNY
Femme de lettres française (1695-1758).
Lettres d'une Péruvienne (1747).
333, 339.

ODILE GRAND
Journaliste française (1931-2005).
A travaillé à *L'Aurore*, aux *Nouvelles littéraires*, à *L'Événement du jeudi*, à *Marianne*.
268.

JEANNE GRANIER
Actrice française (1852-1939).
139.

GERMAINE GREER
Auteure, universitaire féministe d'origine australienne (née en 1939).
76, 192.

MARGUERITE GRÉPON
Poétesse et romancière française (1895-1982). Fondatrice, en 1953, de la revue *Ariane*, «foyer du journal intime» (jusqu'en 1973), et d'un

Prix du journal intime (1957-1970).
Pour une introduction à une histoire de l'amour (Jean Vigneau, 1946), *Lotissement-journal* (Éditions du Monde moderne, 1926), *Journal* (Subervie, 1960).
33, 36, 119, 155, 189, 305, 311, 312, 328.

BENOÎTE GROULT
Romancière et essayiste française (née en 1920).
Ainsi soit-elle (1975), *Le Féminisme au masculin* (1980), *La Touche étoile* (2006).
115, 126, 129, 144, 176, 279, 284, 345.

EUGÉNIE DE GUÉRIN
Femme de lettres française (1805-1848).
154.

GERMAINE GUÈVREMONT
Romancière québécoise (1893-1968).
Marie-Didace (1947).
131.

YVETTE GUILBERT
Chanteuse et auteure française (1865-1944).
254.

MARIE-MADELEINE GUIMARD
Danseuse et actrice française (1743-1816).
337.

MARGARET HALSEY
Auteure américaine (1910-1997).
With Malice Toward Some (1938).
43.

EDITH HAMILTON
Femme de lettres américaine (1867-1963).
328.

JEAN HARLOW
Actrice américaine de cinéma (1911-1937).
Pleine d'humour dans ses réponses aux journalistes. (Voir Irving Shulman, *Jean Harlow*, Stock, 1966.)
24, 214, 245, 317.

ANNE HÉBERT
Auteure québécoise (1916-2000).
Le Torrent (1950), *Kamouraska* (1970), *Les Enfants du sabbat* (1975).
177, 217, 277, 348.

FRÉDÉRIQUE HÉBRARD
Auteure française (née en 1927).
La Chambre de Goethe (1981).
114.

WILMA SCOTT HEIDE
Féministe américaine (1926-1985).
225.

FAITH HINES
Actrice britannique et auteure (née en 1934).
La Loi de Madame Murphy (2000).
117, 151.

SOPHIE D'HOUDETOT
Élisabeth de Lalive de Bellegarde (1730-1813).
Inspiratrice de Jean-Jacques Rousseau. Elle tint salon au tout début du XIXᵉ siècle.
17, 133, 138, 187, 237.

RHETTA HUGHES
Chanteuse R&B et actrice américaine.
Son premier disque est sorti en 1967.
326.

JOSEPHINE HULL
Actrice américaine (1877-1957).
325.

NANCY HUSTON
Auteure canadienne, d'expression franco-anglaise (née en 1953).
Limbes (Actes Sud, 2000).
204.

GLENDA JACKSON
Comédienne britannique (née en 1936).
25.

CATHERINE JACOB
Comédienne française (née en 1956).
230.

FANNY JOLY
Humoriste et auteure française (née en 1954).

Show bourgeois (avec sa sœur Sylvie Joly), *La Si Jolie Vie de Sylvie Joly* (avec son frère Thierry Joly, 1995).
55, 228, 288.

SYLVIE JOLY
Humoriste et comédienne française (née en 1934).
Coauteure, avec Fanny et Thierry Joly, de plusieurs spectacles.
18, 180.

ERICA JONG
Écrivaine et féministe américaine (née en 1942).
Le Complexe d'Icare (1976).
66, 84, 93, 164, 189, 242, 298.

BARBARA JORDAN
Politologue américaine (1936-1996).
274.

JULIETTE
Juliette Nourredine, auteure-chanteuse française (née en 1962).
83, 86, 89, 110, 285.

LAURENCE JYL
Auteure française contemporaine (roman, théâtre). Née en 1956.
Le Mari de maman (1978), *Sainte Maman* (2003), *Panne de télé* (2009).
212.

FLORYNCE KENNEDY
Avocate, juriste et féministe américaine (1916-2000).
55, 76, 125.

MARIAN KEYES
Auteure irlandaise (née en 1963).
L'Autre Côté de l'histoire (2004).
298.

FLORENCE KING
Romancière américaine (née en 1936).
41, 85, 110, 195.

SOPHIE KINSELLA
Romancière anglaise, de son vrai nom Madeleine Wickham (née en 1969).
Confessions d'une accro du shopping (Pocket, 2002), *L'Accro du shopping à Manhattan* (Pocket, 2005).
342.

ELISABETH KÜBLER-ROSS
Psychiatre américaine d'origine suisse (1926-2004).
337.

DOMINIQUE DE LACOSTE
Humoriste française (née en 1958).
L'une des deux Vamps.
One-woman-show *En coup de vamp* (2008).
332.

CATHY LADMAN
Comédienne et humoriste américaine (née en 1955).
Meilleure humoriste de stand-up en 1992 (American Comedy Awards).
88, 116.

SUZANNE LAGIER
Chanteuse et actrice française (1833-1893).
Maupassant jugeait «pleine d'esprit» cette femme truculente : «Elle débite, écrivait-il dans une lettre, les histoires les plus excessivement cochonnes et drôles... »
41, 169, 175.

ARLETTE LAGUILLER
Militante d'extrême gauche (née en 1940).
70.

MADAME DE LAMBERT
Femme de lettres française (1647-1733). *Œuvres* (1766).
26, 107, 311.

CLAIRE DE LAMIRANDE
Romancière québécoise (1929-2009).
Aldébaran ou la fleur (1968), *Jeux de clefs* (1974), *La Pièce montée* (1975).
36, 190, 343.

ANN LANDERS
Journaliste imaginaire créée, en 1943, par Ruth Crowley, chroniqueuse américaine au *Chicago Sun-Times*. Esther Lederer, une autre journaliste, prit le relais de 1955 à 2002.
97, 332.

CATHERINE LARA
Chanteuse, auteure-compositrice, friande de calembours (née en 1945). Elle est l'auteure, avec Élisabeth Anaïs, de titres comme « La rockeuse de diamants », « Aimez-moi les uns les autres »...
176, 194, 280, 307.

CLAIRE LARDINOIS
Cantatrice belge, connue sous le nom de Blanche Arral (1864-1945). *Réflexions mauvaises* (Subervie, 1951).
178, 282.

CHANTAL LAUBY
Humoriste française (née en 1957). Seule femme du groupe « Les Nuls » sur Canal Plus (Alain Chabat, Dominique Farrugia, Bruno Carette). *La Cité de la peur* (scénario, 1994), *Kitchendales* (réalisatrice, 2000), *Laisse tes mains sur mes hanches* (réalisatrice, 2003).
170, 280.

DUCHESSE DE LAURAGAIS
Diane Adélaïde de Mailly-Nesle (1713-1760) épousa, en 1742, le duc Louis de Lauragais. Elle fut l'une des maîtresses de Louis XV.
28.

AMANDA LEAR
Chanteuse, peintre, animatrice, égérie de Salvador Dalí (née en 1939).
204.

MYRIAM LE BARGY
Auteure française du XXe siècle. Fille du comédien Charles Le Bargy. *Démaquillages* (Arthéme Fayard, 1948).
134, 150, 227.

LÉONIDE LEBLANC
Comédienne (1842-1894) sous le second Empire.
128.

LOUISE LEBLANC
Auteure québécoise (née en 1942). *L'Homme-objet* (Stanké, 1980), réédité sous le titre *Croque-messieurs* (Le cherche midi, 1987).
59, 71, 74, 82, 88, 126, 136, 144, 146, 185, 202, 210, 227, 308, 341, 346.

DOMINIQUE LE BOURG
Auteure française du XXe siècle. *L'Art d'être aimée* (Éditions Odé, 1951), *Si les hommes savaient* (Éditions Odé, 1951).
100.

FRAN LEBOWITZ
Auteure américaine (née en 1950). Elle porte un regard ironique sur la société des États-Unis.
323.

MARÉCHALE LEFEBVRE
Catherine Hubscher, surnommée
Madame Sans-Gêne (1753-1835).
87.

LINDA LEMAY
Chanteuse, auteure-compositrice
québécoise (née en 1966).
Albums : de nombreux albums dont
Du coq à l'âme (2000), *Les Lettres
rouges* (2002)...
299.

VALÉRIE LEMERCIER
Humoriste, comédienne, cinéaste
française (née en 1964).
50, 52, 323.

NINON DE LENCLOS
Femme de lettres française (1620-
1705). Elle tint un salon réputé.
Correspondance authentique (Dentu,
1886), *Lettres de Ninon Lenclos au
marquis de Sévigné* (1750).
**28, 30, 36, 40, 41, 43, 48, 60, 70, 65,
109, 133, 139, 163, 282, 290, 296,
307, 334, 339, 342.**

MARIE LENÉRU
Dramaturge et diariste française
(1875-1918).
Les Affranchis (1908), *Journal* (Cres,
1922).
69, 275.

JULIE DE LESPINASSE
Femme de lettres qui tenait un

salon renommé (1732-1776).
Correspondance.
29, 32, 211, 216, 231.

MARIE LESZCZYNSKA
Reine de France (1703-1768).
161.

WENDY LIEBMAN
Humoriste et comédienne américaine (née en 1961).
321.

CLAUDIE DE LINANGE
Femme d'André-Pierre Hébert, au
siècle de Louis XIV.
Elle est citée par Louis de
Montchamp (*L'Esprit des femmes
célèbres*, 1858).
244.

CAROLINE LOEB
Actrice, chanteuse, écrivaine française (née en 1955).
Bon chic chroniques (Seuil, 1993) ;
chroniques sur La City Radio.
246, 282, 349.

ANITA LOOS
Scénariste et écrivaine américaine
(1888-1981).
67.

CLARE BOOTHE LUCE
Journaliste, auteure, femme poli-
tique américaine (1903-1987).
Sa pièce *Les Femmes* a été adaptée

au cinéma par George Cukor en 1939.
76, 77, 319.

SHIRLEY MACLAINE
Actrice et auteure américaine (née en 1934).
31, 52, 147.

ANNA MAGNANI
Actrice italienne (1908-1973).
226, 296.

JACQUELINE MAILLAN
Comédienne française (1923-1992).
84.

ANDRÉE MAILLET
Auteure québécoise (1921-1995).
Profil de l'orignal (Montréal, Amérique française, 1952), *Les Remparts de Québec* (Éditions du Jour, 1964).
93.

ANTONINE MAILLET
Auteure canadienne, d'origine acadienne (née en 1929).
La Sagouine (Grasset, 1972), *Pélagie-la-Charette* (1979), *Crache à pic* (1984).
95, 100, 189.

MADAME DE MAINTENON
Seconde épouse de Louis XIV (1635-1719).
212, 258, 269, 296.

SUZET MAÏS
Actrice française (1908-1989).
208.

MAÏTENA
Maïtena Burundarena, dessinatrice argentine (née en 1962).
Les Déjantées (série d'albums en français, Métailié, depuis 2002).
323.

MACHA MAKEÏEFF
Femme de théâtre française (née en 1953).
Écriture et mise en scène avec Jérôme Deschamps.
Série télévisuelle *Les Deschiens* (Canal Plus de 1993 à 1996 et de 2000 à 2002).
Poétique du désastre (Actes Sud, 2001).
248, 347.

FRANÇOISE MALLET-JORIS
Romancière belge et française (née en 1930).
Parolière de chansons (avec Michel Grisolia) pour Marie-Paule Belle.
203, 290, 302, 310.

KATHERINE MANSFIELD
Auteure néo-zélandaise (1888-1923).
44, 105.

SOPHIE MARCEAU
Actrice et réalisatrice française (née en 1966).
231.

ALEXANDRA MARININA
Romancière et criminologue russe (née en 1957).
La Liste noire (Seuil, 2001), *Je suis mort hier* (trad. G. Ackerman et P. Lorrain, Seuil/Policiers, 2003).
278.

JEANNE MARNI
Pseudonyme de Jeanne Marnière (1854-1910). Romancière française, membre du premier jury du prix Fémina.
126.

TONIE MARSHALL
Actrice et réalisatrice française de cinéma (née en 1951).
Vénus Beauté (institut) (1998).
201, 329.

PRINCESSE MATHILDE
Nièce de Napoléon, elle tenait salon à Paris (1820-1904).
164.

MIMIE MATHY
Comédienne française (née en 1957). Membre du trio « Les Filles ».
C'est fort, fort, fort (Albin Michel, 1993).
Voir aussi Les Filles.
51, 313.

MARIANNE MAURY-KAUFMANN
Dessinatrice d'humour française (née en 1960). Signe MMK.

Dessins dans la presse (*Version Fémina*) et en livres (série *Gloria*).
117.

ELSA MAXWELL
Chroniqueuse mondaine, scénariste et auteure américaine (1883-1963).
J'ai reçu le monde entier (Le Club du Livre, 1955).
53, 341.

ISABELLE MERGAULT
Comédienne, scénariste et réalisatrice française (née en 1958).
Je vous trouve très beau (2005), *Enfin veuve* (2008).
156, 300, 342.

PAULINE DE METTERNICH
Épouse (1836-1921) de l'ambassadeur d'Autriche à Paris, où elle tint un salon sous le Second Empire.
Souvenirs (1859-1871).
28, 198.

BETTE MIDLER
Actrice et chanteuse américaine (née en 1945).
33, 99, 107, 121, 266, 309, 314.

MISS TIC
Graffitiste et poétesse française (née en 1956). Depuis 1985, elle inscrit, au pochoir et sur les murs, ses jeux de mots et ses graphismes.
183, 311, 325.

MISTINGUETT
Chanteuse française, meneuse de revue (1875-1956).
31.

NANCY MITFORD
Romancière anglaise et francophile (1904-1973).
Noblesse oblige (Penguin, 1956), *J'ai épousé un Français* (Stock, 1959), *Snobismes et voyages* (Stock, 1964), *The Letters of Nancy Mitford and Evelyn Waugh* (Boston, Houghton Mifflin, 1997).
47, 129.

GABY MONTBREUSE
Chanteuse fantaisiste de music-hall (1895-1943).
Elle créa, notamment, la chanson «Je cherche après Titine» de Léo Daniderff.
335.

MARILYN MONROE
Actrice de cinéma américaine (1926-1962).
48, 74, 246.

FLORENCE MONTREYNAUD
Journaliste, écrivaine, militante féministe française (née en 1948).
Fondatrice des «Chiennes de garde» (en 1999) et de «La Meute» (pour lutter contre le sexisme en publicité).
Bienvenue dans La Meute (La Découverte, 2001), *Le féminisme n'a jamais tué personne* (Québec, Fides, 2004).
67, 144.

JEANNE MOREAU
Actrice française contemporaine (née en 1928).
29, 37.

MARGUERITE MORENO
Actrice française de théâtre et de cinéma (1871-1948). Elle fut sociétaire de la Comédie-Française de 1890 à 1903.
Souvenirs de ma vie (Phébus, 2002).
192, 193, 208, 319.

MARGUERITE DE NAVARRE
Femme politique et auteure française (1492-1549).
L'Heptaméron.
43, 279, 282.

CATHERINE NAY
Journaliste, essayiste politique française (née en 1944).
La Double Méprise (Grasset, 1980).
175, 267.

SUZANNE NECKER
Femme de lettres suisse (1739-1794).
Elle anima le dernier grand salon de l'Ancien Régime.
Mélanges (1798), *Nouveaux mélanges* (1801).
68, 74, 83, 109, 243, 264, 290, 326, 329.

YVONNE PRINTEMPS
Actrice et chanteuse (1894-1977).
61, 63.

MONIQUE PROULX
Auteure québécoise (née en 1952).
Sans cœur et sans reproche (nouvelles, 1983), *Le Sexe des étoiles* (1987), *Homme invisible à la fenêtre* (1993), *Les Aurores montréales* (nouvelles, 1996), *Le cœur est un muscle involontaire* (2002).
83, 298, 322.

MADELEINE DE PUISIEUX
Moraliste française (1720-1798).
La femme n'est pas inférieure à l'homme (1750), *Le Triomphe des dames* (1751), *Les Caractères* (1750).
27, 98, 132, 135, 153, 163, 167, 168, 191, 221, 223, 314.

FRANCE QUÉRÉ
Auteure française. Théologienne protestante (1936-1995).
La Femme avenir (1976), *Au fil de l'autre* (1979).
256, 324.

MADAME QUINET
Femme d'Edgar Quinet (1821-1900).
101.

ISABEAU DE R.
Isabelle de Richoufftz de Manin. Humoriste française (née en 1961). One-woman-shows *Tenue correcte*

exigée (2002), *Faux rebonds* (2011).
170.

RACHILDE
Pseudonyme de Marguerite Eymery Romancière française (1860-1953)
132, 273.

GILDA RADNER
Comédienne et humoriste américaine (1946-1989).
129, 146, 165, 179.

RAYMONE
Nom de scène de Raymone Duchateau, comédienne française (1896-1986), femme du poète Blaise Cendrars.
238.

MARIE RÉGNIER
Voir Daniel Darc.

MADAME DE RÉMUSAT
Femme de lettres française (1780-1821).
Essai sur l'éducation des femmes (Ladvocat, 1824).
Mémoires de Mme de Rémusat, 1802-1808 (publiés par son petit-fils Paul de Rémusat, Paris, Calmann-Lévy, 1880).
96, 143, 307.

YASMINA REZA
Auteur dramatique française (née en 1959).

Conversations après un enterrement (1987), *Art* (1994), *Dans la luge d'Arthur Schopenhauer* (2005).
50, 67, 156.

MADAME DE RIEUX
Femme de lettres du XVIIIe siècle.
Pensées.
118.

CATHERINE RIHOIT
Auteure française (née en 1950).
190.

JOAN RIVERS
Actrice américaine (née en 1933).
52, 95, 128, 225, 274, 289, 308.

JULIA ROBERTS
Actrice américaine (née en 1967).
34.

MURIEL ROBIN
Humoriste et actrice française (née en 1955).
Tout m'énerve (Olympia, 1990), *Tout Robin* (Casino de Paris, 1996), *Toute seule comme une grande* (Olympia, 1998), *Ils s'aiment* puis *Ils se sont aimés* (pièces coécrites avec Pierre Palmade).
49, 88, 194, 236, 243, 309.

CHRISTIANE ROCHEFORT
Romancière française (1917-1998). Elle publia un temps sous le pseudonyme de Dominique Féjos.

Le Repos du guerrier (1958), *Les Petits Enfants du siècle, Les Stances à Sophie* (1963), *Une rose pour Morrison, Ma vie revue et corrigée par l'auteur* (1978).
74, 102, 114, 121, 132, 280, 327.

ESTHER ROCHON
Auteure québécoise (née en 1948).
Aboli (1996).
183.

MADAME ROLAND
Femme politique française (1754-1793).
Mémoires.
161, 180, 187, 235, 318, 346.

ALICE LONGWORTH-ROOSEVELT
Fille (1884-1980) du président américain Theodore Roosevelt.
224, 272.

BRIGITTE ROSSIGNEUX
Journaliste française contemporaine (Centre de formation des journalistes, promotion 1976).
Chroniqueuse au *Canard enchaîné.*
Auteure d'émissions sur la Défense nationale *(Le nouvel homme des casernes).*
351.

MARGUERITE-RENÉE DE ROSTAING
Marquise de Lavardin (1687-1761).

L'esprit au féminin

Elle est citée dans une lettre de Mme de Sévigné à sa fille.
209.

ANNE ROUMANOFF
Humoriste française (née en 1965).
Couple, petits soucis et gros problèmes (Hors collection, 2006).
Anne Roumanoff, Bernard Mabille et François Meunier, *On ne nous dit pas tout* (Éditions Fetjaine, 2009).
81, 100, 104, 105, 129, 136, 140, 149, 168, 179, 190, 261, 310, 350.

HELEN ROWLAND
Écrivaine et journaliste américaine (1875-1950).
Réflexions d'une célibataire (1903), *A Guide to Men* (1922), *Personality Speaking.*
57, 80, 135, 137, 139, 148, 216, 288, 328, 338.

HELENA RUBINSTEIN
Américaine, créatrice de produits de beauté (1870-1965).
199.

RITA RUDNER
Actrice et scénariste américaine (née en 1953).
81, 119, 129, 209, 210, 217, 222, 298, 304, 306.

MADAME DE SABLÉ
Moraliste française (1599-1678).
Maximes de Madame la marquise de Sablé et pensées diverses de M. L. D. (1678).
66, 111, 127, 303, 315, 316.

MADAME DE LA SABLIÈRE
Spirituelle lettrée (1636-1693). Amie de La Fontaine, elle appréciait autant les plaisirs des sens que ceux de l'esprit.
63.

FRANÇOISE SAGAN
Romancière et dramaturge française (1935-2004).
Bonjour tristesse (1954), *Aimez-vous Brahms ?* (1959), *Les Merveilleux Nuages* (1961), *La Robe mauve de Valentine* (1963), *Château en Suède* (1960), *Un piano dans l'herbe* (1970), *Le Garde du cœur* (1972), *Réponses* (1974)...
27, 61, 116, 121, 122, 142, 152, 153, 192, 201, 211, 224, 239, 244, 257, 259, 295, 348.

CONSTANCE DE SALM-DYCK
Femme de lettres française (1767-1845).
Pensées (1829), *Œuvres complètes* (1843).
97, 234.

GEORGE SAND
Romancière française (1804-1876).
Indiana (1832), *François le Champi* (1850)...
24, 42, 49, 83, 153, 218, 235, 239, 255, 336.

MARY-JANE SHERFEY
Psychiatre américaine (1918-1983).
Nature et évolution de la sexualité féminine (PUF, 1976, trad. Kestemberg).
258.

MADAME SIMONE
Actrice et auteure française (1877-1985).
136, 325.

CHRISTIANE SINGER
Romancière et essayiste française (1943-2007).
Les Cahiers d'une hypocrite (Albin Michel, 1965), *La Mort viennoise* (1978), *Éloge du mariage, de l'engagement et autres folies* (Albin Michel, 2000), *Derniers fragments d'un long voyage* (Albin Michel, 2007).
138, 257, 295.

EDITH SITWELL
Essayiste et poétesse anglaise (1887-1964).
Les Excentriques anglais (Gallimard, 1995).
50, 260, 273.

BARBARA T. SMITH
Artiste-peintre américaine (née en 1948).
281.

MARGARET SMITH
Comédienne et auteure américaine contemporaine.

As It Should Be (CD, 2000), *What Was I Thinking ? How Being a Stand Up Did Nothing to Prepare Me to Become a Single Mother* (livre, 2008).
254, 345.

TRACY SMITH
Humoriste, comédienne américaine.
Actrice dans *Hot Dog the Movie* (1984), *Bachelor Party* (1984).
303.

CARRIE P. SNOW
Actrice et humoriste américaine (née en 1954).
One-woman-show *7 000 Sailors Can't Be Wrong*.
76, 171, 284.

AGNÈS SORAL
Comédienne, humoriste française (née en 1960).
One-woman-show *Agnès Soral aimerait bien vous y voir* (2009).
39, 77.

CÉCILE SOREL
Comédienne française (1873-1966).
62, 137, 140, 263.

MADAME DE STAAL-DELAUNAY
Femme de lettres française (1684-1750), surnommée « La Bruyère femelle » par Sainte-Beuve.
Mémoires.
151.

GERMAINE DE STAËL
Femme de lettres française (1766-1817).
Corinne ou l'Italie (1807), *De l'Allemagne* (1814), *Staëliana* (1820).
33, 60, 61, 83, 127, 133, 160, 163, 213, 230, 234, 248, 251, 266, 308.

DANIELLE STEEL
Auteure américaine (née en 1947).
103.

AMANDA STEERS
Romancière et dramaturge française (née en 1978).
Ma place sur la photo (2004), *Liberace* (2010), *Les Terres saintes* (2010).
A écrit des sketchs pour l'émission *Caméra Café*.
48, 251, 271.

GERTRUDE STEIN
Femme de lettres américaine (1874-1946).
Four Saints in Three Acts (1934)...
186, 275.

GLORIA STEINEIM
Féministe américaine (née en 1934).
76, 142.

JEANNE STÉPHANI-CHERBULIEZ
Doctoresse française du XXᵉ siècle.
Le sexe a ses droits (1946).
309.

DANIEL STERN
Pseudonyme de Marie de Flavigny, comtesse d'Agoult. Femme de lettres française (1805-1876).
Esquisses morales, pensées, réflexions et maximes (Paris, Téchener, 1859).
35, 60, 70, 108, 173, 251, 259, 263, 275, 286, 319, 339.

SHARON STONE
Actrice américaine contemporaine (née en 1958).
258, 311.

ANNE-SOPHIE SWETCHINE
Femme de lettres d'origine russe (1782-1857).
Choix de méditations et de pensées chrétiennes (édité par A. de Falloux, Dider et Cie, 1867).
29, 34, 42, 52, 69, 102, 108, 163, 249, 344.

CARMEN SYLVA
Pseudonyme d'Elisabeth de Wied (1843-1916). Reine de Roumanie et traductrice.
Les Pensées d'une reine (Calmann-Lévy, 1888).
37, 65, 68, 98, 115, 130, 147, 188, 198, 225, 316.

ANNE SYLVESTRE
Auteure française, compositrice et interprète de chansons (née en 1934).

De nombreux albums sont parus depuis 1959 : *Porteuse d'eau*, *Lazare et Cécile*, *Écrire pour ne pas mourir...* **68, 208, 345.**

VÉRA DE TALLEYRAND-PÉRIGORD

Femme de lettres française, d'origine russe. Elle épousa le diplomate Charles de Talleyrand-Périgord en 1862.
Pensées nouvelles et souvenirs anciens (1909).
97, 150, 345.

ÉLIZABETH TAYLOR

Actrice américaine (1932-2011). Mariée huit fois.
216.

CÉCILE TÉLERMAN

Cinéaste française contemporaine. D'origine belge, elle vit en France depuis 1990.
Tout pour plaire (2004).
47, 58, 256, 263, 291.

CLAUDINE DE TENCIN

Auteure française (1682-1749). Mme de Tencin tenait salon.
Caractères et anecdotes, *Mémoires* (1786).
54, 113, 163, 272.

MÈRE TERESA

Agnes Gonxha Bojaxhiu, religieuse indienne d'origine albanaise et de confession catholique (1910-1997). Elle fonda la Congrégation des missionnaires de la Charité.
103, 178, 250.

CARMEN TESSIER

Journaliste potinière, dite « la Commère », à *France-Soir* de 1948 à 1975.
Bibliothèque rosse (1953, 1955), *Le Bottin de la Commère*. *Pour bien manger à Paris* (Gallimard, 1958), *La Commère en dit plus* (1975).
66, 84, 92, 175, 245, 263, 270.

MARGARET THATCHER

Femme politique anglaise (née en 1925).
Premier ministre du Royaume-Uni (1979-1990).
46, 75, 99, 270.

CHANTAL THOMAS

Romancière française (née en 1945).
Comment supporter sa liberté (Rivages poche, 1998).
201, 236.

DANIÈLE THOMSON

Scénariste, dialoguiste et réalisatrice française (née en 1942).
Fauteuils d'orchestre (2006), *Le code a changé* (2009).
59, 322, 324.

LILY TOMLIN

Comédienne, humoriste américaine (née en 1939).
264, 274, 287.

COMTESSE DE TRAMAR

Auteure française. *Le Bréviaire de la femme* (1903).

145, 259.

ELSA TRIOLET

Elsa Kagan, écrivaine française d'origine russe (1896-1970). Compagne de Louis Aragon.

Mille regrets (1942), *Les Fantômes armés* (1947), *Proverbes d'Elsa* (Société des amis d'Aragon et de Triolet, 2004).

71, 175, 177, 188, 205, 226, 237, 249, 262.

NAN TUCKET

Pseudonyme d'un(e) auteur(e) américain(e) contemporain(e).

Le Livre des plaisanteries contre la bêtise masculine (anthologie, 1992).

65, 104.

CHARLOTTE DE TURCKHEIM

Actrice et humoriste française (née en 1955).

Mon père, ma mère, mes frères et mes sœurs... (1999), *Les Aristos* (2006), *Mince alors!* (2012). One-woman-show *Ma journée à moi* (1993).

150, 152, 290, 298.

LANA TURNER

Actrice américaine (1921-1995).

294.

MARIE VALYÈRE

Auteure française.

Nuances morales (Lemerre, 1899).

16, 46, 54, 91, 108, 147, 160, 164, 222, 229, 232, 233, 242, 243, 277, 313, 315, 316, 318.

LES VAMPS

Duo de femmes comiques (Dominique de Lacoste et Nicole Avezard).

Les Vamps (1988), *Autant en emportent les Vamps* (1991), *Lâcher de Vamps* (1995).

237, 323, 332.

CHRISTINE VAN BERCHEM

Contemporaine belge.

215.

FRED VARGAS

Romancière française (née en 1957).

Debout les morts! (J'ai Lu).

315.

DONATELLA VERSACE

Créatrice de haute couture italienne (née en 1955).

32.

ESTHER VILAR

Auteure germano-argentine (née en 1935).

L'Homme subjugué (Stock, 1971).

79.

LOUISE DE VILMORIN

Écrivaine française (1902-1969).

Julietta (1951), *Madame de* (1951), *L'Alphabet des aveux* (1954), *La Lettre dans un taxi* (1958).
29, 58, 82, 137, 145, 194, 230, 291, 294, 302, 338.

SIMONE WEIL
Philosophe française (1909-1943).
340.

MAE WEST
Actrice, scénariste et dialoguiste américaine (1893-1980).
Auteure de *On Sex, Health and ESP* (1975).
39. 44, 63, 90, 101, 169, 176, 220, 256, 275, 341.

REBECCA WEST
Auteure féministe anglo-irlandaise (1892-1983).
80, 143, 171, 218.

EDITH WHARTON
Romancière américaine (1862-1937).
69, 118, 205, 233, 310, 343, 344.

JENNY WHITE
Auteure, sociologue américaine contemporaine.
Le Sceau du sultan (LGF, 2009).
289.

CHARLOTTE WHITTON
Femme politique (1896-1975), maire d'Ottawa.
294.

SHELLEY WINTERS
Actrice américaine (1920-2006).
Auteure d'une autobiographie *Shelley Also Known as Shirley* (1980) et *The Middle of My Century*.
53, 75, 101, 265.

MARY WILSON LITTLE
Écrivaine américaine.
A Paragrapher's Reveries (D. McKay, 1904).
110, 255, 276, 310.

MARYSE WOLINSKI
Journaliste, auteure (née en 1946).
Lettre ouverte aux hommes qui n'ont toujours rien compris aux femmes (Albin Michel, 1993), *Chambre à part* (Albin Michel, 2002), *Georges, si tu savais...* (Seuil, 2011).
38, 179, 289, 343.

NATALIE WOOD
Actrice américaine (1938-1981).
78.

VIRGINIA WOOLF
Auteure anglaise (1882-1941).
86, 200.

MARGUERITE YOURCENAR
Auteure française (1903-1987).
Alexis ou le Traité du vain combat (1929), *Feux* (1936), *Nouvelles orientales* (1938), *Mémoires d'Hadrien* (1951), *Électre* (1954), *L'Œuvre au noir* (1968).

ZAZIE
Auteure française, interprète de chansons (née en 1964).

Table